DIE MODE

Menschen und Moden
im neunzehnten Jahrhundert

Nach Bildern und Kupfern der Zeit ausgewählt von

Dr. Oskar Fischel

Text von

Max von Boehn

* * *

1843 — 1878

Vierte Auflage

MÜNCHEN ⁄ BEI F. BRUCKMANN A.-G.

Klischees u : d Druck von F. Bruckmann A.-G., München 1920

DIE MODE
IM 19. JAHRHUNDERT

* * *

Moritz von Schwind, Im Hause des Künstlers   *1860*

München, Neue Pinakothek

Mit diesem Bändchen ist der Versuch gemacht, eine Epoche des Kostüms im Bilde zu schildern, die uns bisher für kulturgeschichtliche Betrachtung zu nahe stand. Das Unternehmen schien von vornherein ästhetisch nicht dankbar, denn man ist nur zu sehr gewohnt, »sich im kurz Vorhergegangenen zu verachten«. Besonders gegen eben überwundene Moden sind wir intolerant. Darf man da in den äußeren Lebensformen einer Zeit nach dem Gefälligen spüren, deren Modebildern die künstlerischen Eigenschaften zu fehlen beginnen, in deren Porträts und Sittenschilderungen uns das Kostüm nur veraltet und noch nicht historisch erscheint? Dieser Band mag ein Zeugnis dafür sein, daß wir aus einer neuen Periode herüberschauen und beginnen, in allem eine gewisse Stileinheit zu begreifen. Die Bilder der Modejournale geben zum mindesten schöne Stilleben mit dem feinsten Sinn für das Wesen der Stoffe. Meister wie Menzel, Manet, Monet, Carolus-Duran, Stevens haben uns die Menschen geschildert. Dazu gibt eine ganz neue Quelle, die Photographie, den wahren Sachverhalt, ungeschminkt und oft nüchtern, oft aber auch pikant in ihrer Respektlosigkeit, ja verblüffend durch ihren sachlichen Stil, in dem sie unsere stilsuchende Künstlerphotographie weit übertrifft. Es ist hier gewagt, ihr einen großen Anteil an der Illustration einzuräumen, nicht aus Mangel an künstlerischem Material; wie sie war, darf sie sich in ihren liebevollsten Leistungen neben den Kunstwerken sehen lassen.

MAX V. BOEHN   OSKAR FISCHEL

Für die Abbildungen sind die Vorlagen hauptsächlich folgenden Sammlungen entnommen:

> Der Freiherrlich Lipperheideschen Kostümbibliothek, dem Kgl. Kupferstichkabinett Berlin, der Kgl. Nationalgalerie Berlin, dem Hohenzollern-Museum im Schloß Monbijou Berlin, der Kgl. Neuen Pinakothek München, dem Kgl. Kupferstichkabinett München, dem Musée du Louvre Paris, dem Musée du Luxembourg Paris, der Bibliothèque nationale Paris, dem Cabinet des Estampes Paris, dem Museum Versailles, dem British Museum London und dem South Kensington-Museum London.

Für das Entgegenkommen, mit dem von staatlicher und privater Seite das Unternehmen unterstützt wurde, sei auch an dieser Stelle der Dank von Herausgeber und Verleger zum Ausdruck gebracht.

Ganz besondere Erkenntlichkeit schulden die Herausgeber und die Verlagsbuchhandlung der Direktion der Kunstgewerbe-Museums- und Lipperheideschen Kostümbibliothek, Berlin.

Vor allem hat Herr Dr. Doege die Herausgeber durch seinen sachkundigen Rat freundschaftlichst unterstützt.

MENSCHEN UND MODEN

1843 — 1878

Inhalts-Übersicht

Franz Xaver Winterhalter, Bildnis der Prinzessin Joinville
Versailles, Museum

Napoléon III. und Eugénie *Photographie*

Wie Fieber und Frostschauer im menschlichen Organismus dem Ausbruch einer schweren Krankheit vorauszugehen pflegen, so gingen in der Gesellschaft Unruhe und Unzufriedenheit bei Hoch und Nieder dem Jahre 1848 voran. Nichts kennzeichnet die Stimmung jener Jahre besser, als Varnhagens Tagebücher, die wie mit Gift und Galle geschrieben scheinen und die Zeit spiegeln, der jeder Glauben geschwunden, jede Ehrfurcht vor der Autorität verloren gegangen war. Und zu diesem völligen Bankerott des vormärzlichen Staates hat in Deutschland niemand mehr beigetragen, als Friedrich Wilhelm IV., ein König, der allen Verhältnissen gewachsen zu sein glaubte, weil ihm in jeder Situation eine tönende Phrase zu Gebote stand; der alles zu verstehen meinte, weil er über alles reden konnte. Wankelmütig und widerspruchsvoll, jeder Stimmung, jedem Einfall spontan gehorchend, ganz außerhalb der Wirklichkeit in einer eingebildeten Welt lebend, hat er trotz des besten Willens, trotz der redlichsten Absichten

9

Kaiser Franz Joseph und Elisabeth   *Wiener Porzellan*

nichts erreicht, als in seinem ganzen Volke den Geist des
Widerspruchs allgemein zu machen. Machtlos gegen seine Junker
und Bureaukraten, deren letzte Weisheit immer das Polizeiver-
bot blieb, bestand der Erfolg seiner rastlosen Vielgeschäftigkeit schließlich darin, daß, wie Gustav Freytag in seinen Erinnerungen sagt, die berechtigte Unzufriedenheit mit dem
Polizeiregiment des Staates in den Seelen Mißtrauen gegen
jede Maßregel der Regierung großzog und eine Bitterkeit
hervorbrachte, welche zum Pessimismus führte. So kam es,
daß die bestehende Ordnung das Gute und Rechte nirgends
für sich, sondern überall gegen sich hatte und bei dem Ausbruch des Sturmes 1848 sich eine Sintflut der Anarchie über
Europa ergoß. Diejenigen, welche die Macht besaßen, hinderte
ihr böses Gewissen, sie zu brauchen; die aber das Recht für

sich hatten, waren durch ihre Unerfahrenheit und Unwissen-
heit gelähmt. Da ging denn alles drunter und drüber, es war,
um einen hübschen Vergleich Wilhelm von Merkels zu brauchen,
wie ein Kesseltreiben, in dem die Löwen die Hasen umrannten
um in ein Mauseloch zu fahren! Fürst Metternich stürzte

Kaiserin Elisabeth von Österreich
(Naturaufnahme)

und mit ihm sein System, jene Anschauung, welche geglaubt hatte, die Gefahren eines überhitzten Dampfkessels ließen sich am einfachsten durch Schließen aller Ventile desselben beschwören. Nun war er explodiert — und wie 1789 in Frankreich lagen die Staaten in Trümmern, aber niemand war da, der gewußt hätte, wie und in welcher Form sie neu zu errichten!

Die Völker, die seit Jahrzehnten unverwandt nach einem Parlament geblickt hatten, betrachteten dieses wie ein Allheilmittel, die Regierungen aber zögerten, den Teufel der Anarchie durch den Beelzebub der Volksvertretung auszutreiben. Beide hielten den Parlamentarismus für unfehlbar und — beide irrten; die Völker haben in ihrer Überschätzung desselben für die bloße Erlaubnis, dann und wann einen Stimmzettel abgeben zu dürfen, ungleich wertvollere Rechte der Selbstverwaltung und Selbstbestimmung völlig aus den Augen verloren, die Regierenden aber konnten nicht ahnen, in wie kurzer Zeit die von ihnen so gehaßten Parlamente ihre völlige Nichtigkeit offenbaren würden.

Parlament Für das Geschlecht von 1848 aber drängte das »National-Parlament« alle anderen Interessen in den Hintergrund; als am 18. Mai 1848 in der Frankfurter Paulskirche die besten Deutschen zusammentraten, da schien der erste Schritt getan, der Deutschland zur Einheit und Freiheit führen sollte. Die deutschen Verhältnisse waren so zerfahren und haltlos, daß nur noch von der Vertretung des Volkes Besserung zu erhoffen stand. Man wollte nicht sehen, wie kläglich eben in Frankreich der Parlamentarismus Fiasko machte, man schloß die Augen absichtlich vor der Tatsache, daß die gerühmte englische Freiheit nicht im Parlament allein, sondern weit mehr in der gesetzlich garantierten Sicherheit des Individuums gegen polizeiliche und richterliche Willkür begründet ist. Erfrischend wirkt in den Verhandlungen der Paulskirche der Optimismus, mit dem die Versammlung Beschlüsse faßte, für deren Verwirklichung von den Grundrechten bis zur Kaiserwahl ihr trotz Reichsverweser und Reichsministern auch nicht einmal der Schein der Macht zu Gebote stand.

Kronprinz Rudolf von Österreich (Naturaufnahme)

Dieses Nationalparlament zählte die feinsten und klügsten Köpfe des damaligen Deutschland unter seinen Mitgliedern, aber der Sinn für das Praktische und Mögliche fehlte ihnen allen ebenso gut wie Struve und Hecker, als sie aufs Geratewohl die deutsche Republik ausriefen, gerade so gut wie Friedrich Wilhelm IV., als er seinen berühmten Umzug durch Berlin hielt und mit dem Straßenmob fraternisierte. Man wußte nicht wohin, man sah in dem herrschenden Chaos kein festes Ziel. In der allgemeinen Verwirrung der Begriffe schien die Welt auf dem Kopf zu stehen; war nicht ein Papst der Hort der Liberalen, ein Fürstbischof von Breslau Protestant geworden und sah man nicht in dem Juden Stahl dem Absolutismus einen begeisterten Vorkämpfer erstehen?

Die Politik verdreht alle Köpfe, sie reißt den harmlosen Kapellmeister Richard Wagner in den Dresdener Straßenkampf, den Ästhetiker Gottfried Kinkel in den badischen Aufstand, sie führt den Fürsten Ludwig Sulkowski, den Muttermörder, auf die Wiener Barrikaden. Die Politik wird selbst bei den Herrschern zur fixen Idee, wenn sie Ludwig I. von

Friedrich Wilhelm IV., König von Preußen

Bayern allen Ernstes seinem Sohn Otto schreiben läßt, in München wäre fast ein Aufstand ausgebrochen, um ihn zur Wiederannahme der Krone zu nötigen, — wenn sie Friedrich Wilhelm IV. alle Distanz vergessen läßt, als er Albrecht von Stosch, der ihm eine militärische Meldung macht, seinen politischen Standpunkt auseinandersetzt und er, der oberste Kriegsherr, sein Tun vor dem simplen Leutnant rechtfertigt.

Und während die, welche die Macht haben, und die, welche sie erst wollen, noch um das Stück Papier zanken, auf dem »Verfassung« steht, da erhebt sich schon aus den tiefsten Tiefen der Gesellschaft eine neue Frage, deren Ernst und Gewicht den ganzen lumpigen Hader der Parteien zu einem Streit um des Kaisers Bart erniedrigt, da erscheint der Proletarier und beweist dem Bürgertum, daß die zwingendste Gewalt die der materiellen Interessen ist, daß der Magen allemal vor dem Kopf rangiert!

Mit Entsetzen wurden die Besitzenden inne, daß die Massenarbeit und Massenkraft der Maschine mit Notwendigkeit das Massenelend und die Massenarmut der arbeitenden Klasse züchtet und mit Furcht hörten sie die verachteten Deklassierten ein »Recht auf Arbeit« fordern. Als dann den utopistischen Pariser Veranstaltungen von Ledru-Rollin und Louis Blanc der Erfolg fehlte, da haben die Kapitalisten mit Befriedigung erfahren, wie Cavaignac in den Junitagen 1848 die Arbeiterrevolution zu Boden schlug, da fühlten sich die Besitzenden aller Länder solidarisch in der Gemeinschaft ihrer Interessen.

14

Lola Montez   (Lithographie)

Otto v. Bismarck

Alle, welche etwas zu verlieren hatten, atmeten erleichtert auf, als Windischgrätz Wien, Wrangel Berlin besetzte; die Furcht der Herzen, die für Hab und Gut zitterten, bereiteten der Reaktion den Boden sicherer, als die Bajonette der Soldaten.

Als das tolle Jahr vorüber und überall die Reaktion herrschte, da fand sie von oben bis unten alles anders geworden, Könige wie Bürger fanden sich ganz unvermutet auf einem andern Standpunkt, als sie bisher eingenommen, und der unbehagliche Zustand einer Übergangszeit, in der das Alte unwiederbringlich dahin, das Neue noch unentwickelt und fremd war, komplizierte alle Verhältnisse, verschob Urteile wie Ansichten. Das konstitutionelle Königtum, das nur noch durch Verträge zu Recht bestand, hielt eifersüchtig an der Fiktion des »Gottesgnadentums« fest, aber alle diese Herren, die ihr »von Gottes Gnaden« hätte himmelhoch über den gemeinen Plebs erheben sollen, hören immer angstvoll auf die Stimme der öffentlichen Meinung, haschen nach Popularität und sind um eine gute Presse so besorgt, wie Vorstadtschauspieler um die Kritik!

Das Bürgertum, von Herzen froh, daß die Soldaten ihm den Besitz schützen, daß Thron und Altar Garantien für den Geldbeutel bieten, kann sich nicht so schnell aus der bisherigen Fronde herausfinden, und die Unehrlichkeit, welche den Zwiespalt seines Tuns und seiner angeblichen Grundsätze, die innerliche Niedrigkeit seines Standpunktes je länger je deutlicher offenbaren, lähmen seine Kraft. Die aristokratische Gesellschaft hat ein Jahrtausend, die bürgerliche kaum ein Jahr-

16

1844
Les Modes parisiennes

Menzel, Salon der Frau von Schleinitz. 29. VI. 74

Helmholtz H. v. Angeli *Graf Seckendorf Gräfin Brühl Graf Pourtalès Fürst Hohenlohe-Langenburg*
Frau v. Helmholtz Krontprinz Friedrich A. v. Werner
Frau v. Schleinitz Kronprinzessin v. Schleinitz

Lenbach, König Ludwig I.
Gravüre-Verlag von F. Bruckmann A.-G., München

hundert geherrscht. Jene wußte, daß die Macht sich ihr Recht
schafft, daß Macht vor Recht geht und wer nicht für sie gewesen, den hatte eine kurze Kabinettsjustiz in der Bastille,
unter den Bleidächern, auf dem Spielberg oder in der Peter
Paulsfestung über die Frage nachdenken lassen, ob der
Schwache gegen den Starken überhaupt Recht haben könne?
Die bürgerliche Gesellschaft wäre dieser brutalen Ehrlichkeit
nie fähig gewesen, auch sie bedarf der Justiz als Vollstreckerin
ihres Willens, aber sie gibt sie heuchlerisch für Gerechtigkeit
aus. Die Aristokratie hatte im 18. Jahrhundert das Christen-
tum resolut über Bord geworfen, auch für die Bourgeoisie
besitzt es längst keinen Wert mehr, aber sie hält daran fest,
weil sie in ihm einen Zügel für die Ansprüche der großen
Masse zu halten hofft. So wenig wie der Absolutismus ver-

18

Charlotte, Kaiserin von Mexiko   *(Photographie)*

mag die Bourgeoisie zum Bekämpfen unbequemer Ideen gei-
stige Waffen zu führen, auch sie braucht Richter, Polizei und
Pfaffen dazu, aber sie scheut das Odium. Seit die bürgerliche Gesellschaft die aristokratische abgelöst hat, herrscht im
öffentlichen Leben unumschränkt und unumwunden die Lüge.
Ihr Prototyp war in den Jahren, welche wir hier betrachten: *Napoléon III.*
ER, den man auch den Vater der Lüge genannt hat, Napo-
léon III. »Des Glückes abenteuerlicher Sohn«, hat der große
Zauberer an der Seine die ganze Welt zwei Jahrzehnte lang
in Atem gehalten, bewundert, weil er die Anarchie zu Boden
schlug; gefürchtet, weil er den Staatssozialismus proklamierte;
überschätzt, weil selbst »Napoléon dem Kleinen« zu seiner
Zeit niemand gewachsen war. Diejenigen, welche ihn durch-
schauten, wie Drouyn de Lhuys, der von ihm sagte: »Das

Geheimnis seiner Unerforschlichkeit liegt im Mangel an Beweggründen für seine Handlungen. Man kann ihn sich nicht erklären, man kann ihm nur mißtrauen« — oder Bismarck, welcher der fast abergläubischen Scheu, die am Hofe Friedrich Wilhelm IV. gegen den Neffen Napoléon I. herrschte, offen mit der Behauptung entgegentrat: »Napoléon würde sein Teil gern in Frieden verzehren, wenn die Konsequenzen der eigenen Politik es ihm nur erlaubten«, fanden keinen Glauben. Lieber hielt man den geheimnisvollen Gegner für ein Genie von unergründlicher Tiefe, als daß man mit dem Eingeständnis seiner Geringfügigkeit die eigene Minderwertigkeit zugegeben hätte.

Nur aus diesem Gefühl heraus erklärt es sich, daß Herrscher und Kabinette, die den Franzosenkaiser für unverwundbar hielten, ihm wenigstens Nadelstiche beizubringen suchten. Statt des üblichen Titels: »Mein Herr Bruder«, nannten sie ihn nur »Sire und guter Freund«, eine Staatsaktion, über welche die Großmächte ˙monatelang verhandelten und deren glorreiche Ausführung beinahe einen europäischen Krieg entzündet hätte! Die Genugtuung über diese bescheidene, dem Parvenü auferlegte Demütigung haben die klugen Diplomaten dann lange Jahre damit büßen müssen, daß in der hohen Politik Napoléon gutes oder schlechtes Wetter machte und durch eine ungnädige Neujahrsansprache Kriege inaugurierte, die Österreich seine schönsten Provinzen kosteten!

Der äußere Anstoß, den die Erfolge der deutschen Waffen schließlich zu dem Zusammenbruch seines Reiches gaben, hat diese Katastrophe nur beschleunigt, die Tage von Napoléon III. Herrschaft wären auch ohne Sedan gezählt gewesen. Ein Staat, der sich auf sozialistischen Ideen aufbauen will und die berufenen Vertreter dieser Gedanken nach Cayenne deportiert — der aus Furcht vor den Geistern, die er gerufen hat und nun nicht bändigen kann, die Schule an die Kirche ausliefert — ein Staat, der den Absolutismus als Vorbedingung demokratischer Gleichheit betrachtet, mußte an seinem eigenen Widerspruch zugrunde gehen. Ein Kaiser, der seine Krone wiederholt den Zufällen des allgemeinen Stimmrechts preisgibt, kann und darf nicht absolut regieren.

Und wie Napoléon III. im Innern Schritt für Schritt gezwungen wird, aus seinen Positionen zu weichen, wie der Mann des

1844
Les Modes parisiennes

1866

Adolf Dreßler, Österr. Gefangene in Breslau (Ausschnitt)

Winterhalter, Königin Augusta von Preußen

Rechtsbruchs und der Gewalt, dem nur der Angriff Halt gibt und Erfolg gewährt, schließlich auf die Verteidigung beschränkt, unterliegen muß, so hat seine schwankende und unsichere Haltung ihm auch nach und nach in der auswärtigen Politik Niederlage auf Niederlage zugezogen. Wie sein großer Oheim ganz gegen seinen Willen durch alle Maßregeln, die er ergriff, um England den Untergang zu bereiten, schließlich das Gegenteil dessen erreichte, was er bezweckt hatte, nämlich dem gehaßten Lande die Weltherrschaft zur See zu verschaffen, so hat auch Napoléon III. wie ein Werkzeug höherer Mächte alles beitragen müssen, um Ziele erreichen zu helfen, die er vermeiden wollte, die Einigung Deutschlands und Italiens. Hindernd und wehrend ist er den Wünschen und Bestrebungen beider Völker entgegengetreten, zögernd und widerwillig sah er sich zum schrittweisen Mitgehen gezwungen, er glaubte zu schieben und wurde nur geschoben.

Wohl denen, die beizeiten den Willen der Völker erkennen; wohl ihnen, gewährt ein günstiges Geschick dann auch zum

Menzel, Cercle bei Kaiser Wilhelm I.   *1879*

Wollen das Vollbringen; alle menschliche Größe heißt ja
schließlich doch nur: Erfolg!

Glücklich dürfen wir heute jene Generation preisen, von der,
wie Gustav Freytag sagt, jeder Einzelne Teil hatte an dem
politischen Fortschritt des eigenen Staates, an Siegen und
Erfolgen, welche größer waren als jede Hoffnung, und der
damit das höchste Erdenglück beschieden war, welches dem
Menschen überhaupt vergönnt ist.

Zwei Menschenalter, nachdem Napoléon I. einem großen deut-

23

Eduard VII. als
Prinz von Wales

schen Staatsmann, nachdem er Metternich unterlegen war, schlug ein größerer Deutscher den andern Bonaparte und rief in der Spiegelgalerie Ludwigs XIV. seinen König zum Deutschen Kaiser aus!! Diesen Vollstrecker seiner Wünsche, der sein Volk zur Einheit und zur Macht führen durfte, wird der Deutsche mit Dankbarkeit und Bewunderung ewig unter den Größten seines Volkes nennen; solange es noch Deutsche auf dem Erdboden geben wird, wird Bismarck unvergessen sein! Metternich wie Bismarck ist das gleiche Schicksal geworden, unbegreifliche Erfolge, die beiden Staatsmännern jahrzehntelang die führende Rolle in der Welt verschafften, und im Alter ein Sturz, der sie zwang, ohne helfen zu können, noch den Niedergang der eigenen Schöpfung mitansehen zu müssen.

1845
Les Modes parisiennes

Moritz v. Schwind, Postwagen (aus der »Symphonie«)   *1852*
Photogr. Union, München

Die pseudoklassische Kunst des ersten Kaiserreichs läßt sich in dem Namen David zusammenfassen. Wenn es der mächtigen Persönlichkeit dieses Mannes gelang, allem, was seine Zeit an künstlerischen Werten geschaffen, den Stempel seines Geistes aufzudrücken, so entbehrt die Kunst der Folgezeit völlig eines solch markanten Orientierungspunktes; die Kunst der zweiten Hälfte des 19. Jahrhunderts ist völlig demokratisch, so viel berühmte Namen, so viel verschiedene Richtungen. Die Emanzipation vom Klassizismus setzt bereits zur Zeit seiner unbeschränkten Herrschaft ein. Der Altersgenosse Davids, der Spanier Goya, ist schon ein Moderner im heutigen Sinn, seine Werke aber, jenseits der Pyrenäen geschaffen und geblieben, entzogen sich der allgemeinen Kenntnis fast bis in unsere Tage, während die stürmisch vordrängende Generation des jungen Frankreich Géricault, Delacroix u. a., noch bei Lebzeiten des Meisters David und den Seinen den offenen Krieg erklärten. Sie wollten Leben und Wirklichkeit an Stelle der verblaßten Schemen setzen, und als seit der Mitte der dreißiger Jahre die Meister, die im Walde von Fontainebleau hausen, der Natur mit Aufrichtigkeit gegenüberzutreten suchen, da entbrennt der Kampf auf der ganzen Linie. Je eifriger die Generation der Jungen — und es sind Jünglinge mit grauen Köpfen dabei — um Licht und Luft, um Leben und Wahrheit kämpft, je verbissener schwören die Alten — unter ihnen

25

Ingres   *(Zeichnung)*

genug solche, die nie jung gewesen — auf Tradition und Schablone. Die Jungen stehen allein, angefeindet, verhöhnt, geschädigt von den Alten, hinter deren leichtverständlicher Kunst die große Masse herläuft.

Seit der »Kunstverein« die Mäcene verdrängt hat, seit der Künstler nicht mehr für den Liebhaber, sondern für die Ausstellungen malt, hat auch im Publikum das Verständnis für das Kunstwerk aufgehört. Man glaubt, ein Kunstwerk wolle beurteilt und nicht nur genossen sein, und wer traute sich im Zeitalter der allgemeinen »Büldung« kein Urteil zu?! Ganz köstlich hat der 1848er Reichsminister Detmold damals schon diese Manie, über Kunst zu sprechen, in seiner »Anleitung, binnen weniger Stunden ein Kunstkenner zu werden« persifliert, aber es ist bis zur Stunde damit durchaus nicht besser geworden. Jedermann würde sich scheuen, in fachwissenschaftlichen Fragen, die er nicht versteht, ein Urteil abzugeben, aber niemand geniert sich, über Kunst, was sie soll und nicht soll, das blödeste Zeug daherzuschwätzen; im Gegenteil, gerade die urteilen am lautesten und unfehlbarsten, welchen die Rücksicht auf ihre Stellung verbieten sollte, sich fortgesetzt öffentlich zu blamieren.

An der Verschärfung der Gegensätze, an der Irreführung der öffentlichen Meinung trägt die Tageskritik die Hauptschuld, ist sie mit ihrem Urteil doch stets der Masse der Vielzuvielen nachgehinkt. Es wäre dankbar und unterhaltend, einmal zusammenzustellen, wie verschieden die Kritik über Manet, über

Feuerbach, über Böcklin lautete, als sie noch nicht berühmt und als sie später berühmt waren, wie oft ganz die gleichen Leute, die das: Kreuzige! nicht laut genug hatten schreien können, sich später in leidenschaftlichster Bewunderung überboten. Wie die Tagespresse selbst, steht auch die Tageskritik eben immer auf der Zinne der Partei; nicht umsonst ist die Kritik ein Weib: die Person entscheidet bei ihr, nicht die Sache.

Ingres　　　　　　　　*(Zeichnung)*

Jede Zeit hat ihre Götzen, für die deutsche Kunst der vierziger, fünfziger und sechziger Jahre war es Wilhelm von Kaulbach, in dessen Werken man voll Begeisterung fand, was man am höchsten schätzte: Bildung und Wissen. Die Wandgemälde im Treppenhause des Berliner Neuen Museums sind in der Tat das Höchste, was diese Art einer Kunst für Gebildete leisten kann, sie stecken so voller Anspielungen und Beziehungen, daß ihre Unverständlichkeit den »Ungebildeten« mit ehrfürchtiger Scheu erfüllt, der »Gebildete« aber, für den ihre Rätsel so leicht und ihre Geheimnisse so durchsichtig sind, sich mit Wonne des ganzen Umfanges seiner »Büldung« bewußt wird. Darin bestand ihr Erfolg und wenn sie uns heute nicht mehr dasselbe bedeuten, wie den Vätern, so soll man nicht vergessen, daß Kaulbach wirklich den Besten seiner Zeit genug getan, man denke nur an die Bewunderung, mit der ein so kühler Mann wie Moltke sich über diese Bilder an seine Frau ausspricht, und daß wir heute keinen Künstler besitzen, der etwas Ähnliches leisten könnte. Den gleichen Ideenreichtum hätte

Gustav Richter, Bildnis seiner Schwester 1852

man wohl auch bei Cornelius finden können, aber man zog Kaulbach vor, war er doch süß, wo der andere herb war, und gerade so leichtfertig, wie es im Salon gebildeter Menschen allenfalls noch schicklich ist.

In Deutschland steckte man noch mitten in der Kartonmalerei, als die Jungen, die mal nach Paris statt nach Rom gingen, mit Erstaunen gewahr wurden, daß die Franzosen auf ganz anderem Boden standen, daß die französische Kunst die deutsche weit überflügelt habe. Seit Courbets Besuch in München war es dann endgültig entschieden, daß die Hohe Schule der Malerei sich nicht auf deutschen Akademien, daß sie sich vielmehr in Paris befinde.

Wer die Menschen jener Zeit und ihr Aussehen selbst sucht, wird ihnen so wenig wie in den zwanziger und dreißiger Jahren in der hohen Kunst begegnen. Man war zwar nicht mehr klassisch, aber man blieb historisch, Piloty würde gefürchtet haben, seinen Pinsel zu profanieren, hätte er seine

Winterhalter, Eugénie Adélaide Louise d' Orléans   *1842*
Museum, Versailles

Carpeaux, Mme Lefèvre, née Soubise

Vorwürfe einmal aus dem
19. statt aus dem 16. oder
17. Jahrhundert geschöpft.
Nur im Porträt zeigt uns
die Kunst jener Jahre, wie
die Menschen gerne ausge-
sehen hätten. Als Maler der
oberen Zehntausend, der
mondänen Eleganz behaup-
tete sich Winterhalter, neben
dem der Wiener Angeli, der
Berliner Gustav Richter sich
in die Gunst der ganzen, wie
der halben Welt teilen. Der
Porträtmalerei als solcher
aber ersteht ein Konkurrent
der gefährlichsten Art in
der Photographie.

Seit Daguerres Erfindung aus
dem Urstadium der spiegeln-

Photographie den Lichtbilder herausgetreten ist, seit man in den fünfziger
Jahren gelernt hat, vom photographischen Negativ Abzüge
auf Papier zu machen, grassiert die Photographie förmlich,
denn vor dem Objektiv der Kamera posiert alsbald die gesamte
Menschheit ohne Ausnahme, ohne Unterschied von Rang,
Stand, Alter und Geschlecht. Durch die Leichtigkeit der Handhabung, die Billigkeit der Herstellungodrängt die Photographie
alsbald den Kupferstich und die Lith graphie so völlig in den
Hintergrund, daß beide Techniken so gut wie ganz aus dem
Betriebe der Kunst verschwinden und nur in Fällen dringender Not noch zu handwerklichen Diensten herangezogen
werden.

Plastik Der Plastik blüht in jenen Tagen zwar kein neues Leben,
aber große Aufträge werden ihr zuteil, setzt doch die Denk-
malswut ein. Öffentliche Denkmäler sind vor der Mitte des
19. Jahrhunderts eine Ausnahme. Die Statuen, welche Fürsten
oder Privatpersonen auf Straßen und Plätzen gesetzt wurden,
sind bis zu dieser Zeit in ganz Europa zu zählen. Man begnügte sich bis dahin mit Monumenten in Kirchen oder auf
Friedhöfen, in der richtigen Erkenntnis, daß diese Stellen dem

30

Ferdinand von Rayski, Kinderbildnis

Moritz v. Schwind *(Naturaufnahme)*

Kunstwerk eine intimere Wirkung verbürgen, als sie ein Platz
im Gewühl der Straßen gewährt. Um Kunstwerke handelt es
sich ja allerdings auch nur selten bei diesen Schöpfungen der
modernen Denkmalsplastik. Unmögliche Reiter auf unwahr-
scheinlichen Pferden, Mantelfiguren, die überall und nirgends
daheim sind, dazu eine Aufstellung, die durch einen übermäßig
hoch entwickelten Sockel den Dargestellten überhaupt der Betrachtung entzieht, ein Erzmaterial, dessen schlechte Legierung
statt der Patina eine schwärzliche Schmutzkruste ansetzt —
das sind die Eigenschaften, welche so ziemlich allen Denk-
mälern jener Zeit anhaften. Die Spötter, die angesichts der
Münchener Monumente von dem »Kgl. Bayr. Denkmalsrumpf«
sprechen, haben recht; aber das in diesem Hohn enthaltene
Urteil über die Uniformität ist ebenso gut auf die Denkmäler

1845
Les Modes parisiennes

— C'est pour ces madames là qu'on élargit les rues de Paris

Gavarni

außerhalb Münchens anwendbar. Hand aufs Herz — wenn irgendein Kobold die Berliner, Münchener, Londoner u. a. Denkmäler eines Tages miteinander vertauschen könnte, würde irgend jemand es gewahr werden? Sicher nicht, denn sie sind samt und sonders von einer so trostlosen Gleichförmigkeit, daß man sich eigentlich nur darüber wundern kann, daß diese Manie, auch die schönsten Plätze mit solchen garstigen Puppen zu verschandeln, nicht längst der allgemeinen Gleichgültigkeit gewichen ist.

Die Armseligkeit der Erfindung tritt besonders grell hervor, hat es sich bei derartigen Gelegenheiten einmal darum gehandelt, Ideen von großzügigem Charakter zu gestalten; da behilft man sich mit rein mechanischer Vergrößerung, wie bei der Münchener Bavaria oder der Niederwald-Germania, oder,

Friedrich Karl Hausmann, Die Gattin des Malers   *1853*

muß man mehrere Figuren gruppieren, so stellt man sie auf, als sollte Schach gespielt werden, wie bei dem Luther-Denkmal in Worms oder dem der Grafen Egmont und Hoorn in Brüssel; schließlich verhilft man in der Berliner Siegesallee dem Prinzip des Kasernenhofs »Richt euch, Augen rechts!« zu Ehren und bringt eine an und für sich hübsche Idee durch die Lange-

Alfred Stevens, Der Roman

weile des Lehrhaften und die öde Wiederholung völlig um ihre
Wirkung. Man würde der ganzen Zuckerbäckerei überdrüssig
werden müssen, verhülfe nicht das Wichtigkeitsgefühl, das alle
diese Figuren bis zum Platzen zu schwellen scheint und sich sogar
den Adlern und Greifen der Bankstützen mitteilt, zu einer so er-
frischenden, weil so ganz und gar unbeabsichtigten Komik!

Ingres, Mme Gounod   *(Zeichnung)*

Wie immer finden die guten Beispiele die geringste Nachfolge, Schmitz' Kaiserdenkmal am Deutschen Eck in Koblenz, Lederers Bismarck in Hamburg bleiben vereinzelt, sie kommen gegen die Gewohnheit nicht auf, die sich für Denkmäler allmählich einen festen Kanon gebildet hat: Bürgerliche mit irrelevanten Verdiensten um Wissenschaft oder Kunst sitzen; adlige Feldherren und Staatsmänner stehen; erhabene Herrscher reiten (selbst wenn sie im Leben nie aufs Pferd stiegen, wie Ludwig I.!). So ist es hergebracht, so bleibt es.

Die Architektur jener Zeit ist nicht originell; sie geht gerade an dem Material, welches ihr von der Technik neu geboten wird, dem Eisen, vorüber. Sie weiß mit dem Eisen nichts zu beginnen, es ist ihr unbequem, denn es paßt nicht in die Schablone, die sie benutzt. So wird das Eisen entweder versteckt, oder wo seine sichtbare Benutzung nicht zu vermeiden ist, ohne jede Rücksicht auf die ästhetische Wirkung verwendet, als müßten Eisenkonstruktionen mit Notwendigkeit häßlich sein. Das gelehrte Wissen der Zeit, welches nach und nach

1848
Les Modes parisiennes

außer der Antike alle Baustile, sie seien zeitlich oder räumlich so abgelegen, wie sie wollen, in den Kreis seiner Betrachtung gezogen hatte, gab den Baumeistern ein unerschöpfliches Material zum Nachahmen an die Hand. Sie haben es um so lieber benutzt, als ihnen die Industrie das Dilettieren in allen Stilen ungemein erleichterte, gab sie doch der Architektur die Surrogate, welche, ebenso bequem wie stumpfsinnig anzuwenden, die ganze Periode charakterisieren. Statt Marmor verwendet man Stuck, Putz täuscht Haustein, Zementguß Skulpturen vor, ganze Bauteile werden aus steinfarbig gestrichenem Blech gebildet; wie die Menschen selbst, möchte jedes Haus mehr vorstellen, als es eigentlich ist. Die gesamte Architektur ist Jahrzehnte hindurch über eine derartige Nachahmung nicht hinausgekommen und erst seit wenigen Jahren verspüren wir ver-

Rossetti, Miß Siddal   (Zeichnung)

heißungsvolle Anfänge der Besserung, einer Besserung, die der alte Schlendrian der süßen Gewohnheit und bureaukratischer Bevormundung allerdings stets wieder durchkreuzt.

Man muß sich ja auch vor zu großer Härte im Urteil gegen jene Zeit um so mehr hüten, als die unsrige vor atavistischen Rückschlägen durchaus so sicher nicht ist, als man hoffen sollte, zieht man in Betracht, eine wie vieljährige eifrige Arbeit die Berufenen durch Schriften, Vorträge, Veranstaltungen von Ausstellungen, Zusammenbringen von Museen usw. an die ästhetische Kultur unserer Zeit gesetzt haben! Trotzdem erleben wir im 20. Jahrhundert, daß Berlin sich Ausstellungshallen im »romanischen« Stil erbaut; daß die Allgemeine Elektrizitäts-Gesellschaft einen Ausstellungs-Pavillon in der Form

Anselm Feuerbach, Nanna   *1861*
Phot. F. Bruckmann A.-G., München

eines romanischen Baptisteriums aufführt; daß man sogar in
München die Herrscher in Allongeperücke und Zopf gotisiert
an das neugotische Rathaus pappt?

An der Einsicht, keinen Stil zu haben, hat es der Zeit unserer
Väter so wenig gefehlt, wie der unseren. Man empfand es
damals nicht nur schmerzlich, sondern geradezu beschämend,
bei einem ungeheuren Überschuß an Wissen keinen Stil zu
haben, und aus diesem Gefühl heraus sind jene Versuche zu
erklären, einen Stil par ordre de moufti zu schaffen, wie
Maximilians II. symmetrischer Haustürenstil, der über seine
Zeit hinaus wollte und doch tief in ihren Anschauungen stecken
blieb. Paul Heyse erzählt in seinen Jugenderinnerungen, welche
Mühe sich der König mit diesem Stil gab, schließlich mußte
doch alles umsonst sein, denn auch er ging lediglich von der
Fassade aus und nahm ausschließlich auf sie Rücksicht. Was
hätte auch die Baumeister nötigen sollen, Bedacht darauf zu
nehmen, daß hinter diesen symmetrisch angeordneten Reihen
spiegelnder Palastfenster zweckmäßig eingeteilte Wohnräume

Winterhalter, Bildnis der Fürstin Worontzoff
60er Jahre

liegen sollten, verlangte der Bewohner selbst sie ja gar nicht. Ihm genügten Schloßzimmer nach vorn, Schlaf-, Wohn-, Wirtschaftsräume kamen dagegen gar nicht in Betracht, Fremde sehen sie ja nicht! Das Bedürfnis nach Komfort bricht sich nur sehr allmählich Bahn, erst in den sechziger Jahren bekommt die Berliner Durchschnittswohnung das Waterkloset, erst in den siebzigern das Badezimmer, erst in den achtzigern geht man so weit, auch die Domestiken nicht mehr auf dem »Hängeboden« unterzubringen, sondern ihnen Räume mit direkter Zufuhr von Licht und Luft anzuweisen. In diesen Jahren verdrängt das Leuchtgas allmählich auf den Straßen die Öllampen, vereinzelt erscheint sogar schon das elektrische Licht,

1848 wird in Paris die Place du Carrousel, in London Trafalgar Square elektrisch beleuchtet.

Den unzweckmäßig eingerichteten Wohnungen entspricht der Hausrat, der sie füllt. Tiefer hat die Möbelkunst nicht sinken können, als es etwa seit 1850 der Fall gewesen ist. Die Hauptschuld daran trägt die Industrie, welche die solide aber teúre Arbeit des Handwerkers durch die billige Schleuderware der Fabrik verdrängt. Diese Möbel sind vom handwerkstechnischen Stand-

Rossetti, Agnes Siddal   *1858*

Wohnungs- kunst punkt nicht weniger vernachlässigt, als vom ästhetischen; ihre papierdünnen Fourniere und ihre angeleimten Zierstücke entsprechen in ihrer schundigen Eleganz dem völligen Mangel an Stil in ihrem Aufbau. Der Entwurf der Möbel und des Hausgeräts borgt sich die Elemente von überallher zusammen. Er entnimmt die Form einem Stil, den Décor einem andern und indem er das Heterogene noch mit kraß naturalistischen Blumen und Blattwerk versetzt, entstehen wahre Unformen von Stillosigkeit. Die Dessins der Teppiche, Stickereien, Vorhänge, die Formen des Silberzeugs, des Porzellans, der Kleinbronzen und Gebrauchsgegenstände, wie sie die Generation der fünfziger und sechziger Jahre schön fand, haben dem guten Geschmack um so tötlichere Wunden geschlagen, als die Verständnislosigkeit für den Entwurf noch von dem Mangel an Gefühl für das Material übertroffen wurde.

Bereitwillig bot die Industrie ihre Surrogate; der Zinkguß verdrängt die Bronzen, das gestanzte Blech die getriebene Arbeit, gepreßte Gipsformen täuschen Schnitzerei, geöltes

Adolf von Menzel, Bildnis der Frau Klara Schmidt von Knobelsdorf

1849

Berlin, Nationalgalerie

Papier gemaltes Glas vor! Die Unwahrheit wird schließlich so weit getrieben, daß sie für das Ziergerät zur Vorbedingung des Erfolges wird: ein Bierkrug ist kein Bierkrug, sondern ein Arbeitskorb, ein Modell der Siegessäule trägt den Thermometer, ein kleines Hermanns-Denkmal überrascht als Zigarrenständer, ein Helm als Nécessaire. Wie Falke einmal sagt, wird es Absicht, alle Gegenstände zu einem ihrer ursprünglichen Bestimmung entgegengesetzten Zweck umzuprägen; ja, nach dem siegreichen Kriege gegen die Franzosen scheinen die Köpfe von Bismarck, Moltke, Roon, Kaiser Wilhelm und Kronprinz Friedrich für die Betriebe sämtlicher Industrien, von der Seife, mit der man sich wäscht, bis zur Schokolade, die man ißt, die allein möglichen Mo-

Eduard v. Steinle, Bildnis seiner Tochter 1867

delle! In historischen Zeiten war bis dahin ein derartig siegreicher Vorstoß des Ungeschmacks nicht erlebt worden; leider haben aber die Maßregeln, die Einsichtige zu seiner Bekämpfung wählten, nur auf neue Abwege geführt. Allen voran hat der Prinzgemahl Albert danach getrachtet, das Handwerk wieder zur Kunst zurückführen zu helfen, nicht, indem er den Leuten in alles hineinredete oder als Prinz alles besser zu verstehen glaubte, sondern, indem er in einer großen Sammlung den Schaffenden mustergültige Arbeiten der Vorzeit und Gegenwart als Vorbilder zusammentrug; ihm verdankt das South Kensington-Museum seine Gründung, das Vorbild aller ähnlichen kontinentalen Anstalten.

Diejenigen, die von der Schundproduktion des Tages zu der Väter Werken flüchteten und auf sie hinwiesen, unter ihnen in erster Reihe Jakob von Falke, haben in bester Absicht das Kunstgewerbe in die Nachahmung geführt, in der es stecken geblieben ist, seit gleichzeitig mit Makarts Atelierstil die be-

41

Böcklin, Die Tragödin Fanny Janauschek 1860—1862

kannte Münchener Ausstellung von 1875 das »Altdeutsche« in die Mode brachte. Welche Hetzjagd wir seitdem erlebt, wie wir von der deutschen Renaissance durch Barock, Rokoko, Empire in das Biedermeier getrieben worden sind, wie jeder dieser nachempfundenen Stile sofort durch die Industrie mit billiger Imitation verunreinigt wurde, ist noch in aller Gedächtnis und steht noch vor aller Augen. Alle, welche das Kunstgewerbe an die guten »handwerklichen« Traditionen der alten Zeit anknüpfen wollten, übersahen, daß wir heute keine Handwerker im alten Sinne mehr haben, daß der Kapitalismus sie erdrückt hat; nicht Schlosser und Schreiner — die Großindustriellen und Fabrikanten sollte man zur Kunst erziehen! Freilich, sie wissen, was das heißt, die Reuleaux und Muthesius.

Zur gleichen Zeit, als man durch Umkehr, durch ein Rückwärtsschauen vorwärts zu kommen hoffte, setzen in England durch Ruskin, Morris und die ihnen Sinnesverwandten Bestrebungen ein, die, viel weiter blickend, den Stil in einer einheitlichen Kultur bedingt sehen. Ganz naturgemäß betrachten sie die Nachahmung als einen verhängnisvollen Abweg und infolgedessen konnte es vorkommen, daß Morris und Leighton, als Vorstände des South Kensington-Museums, auf das heftigste gegen die Annahme des Vermächtnisses von John Jones protestieren, der ihrer Anstalt eine Millionen werte Sammlung der köstlichsten französischen Möbel und Bronzen des 18. Jahrhunderts zugedacht hatte! Nach ihrer Meinung könnten solche Kunstwerke nur verwirrend, nicht fördernd wirken, ein Bekenntnis von so überraschender Wahrhaftigkeit, daß es natürlich gar nicht verstanden und — zum Glück — nicht befolgt wurde!

Man war durch das Nachahmen längst so weit gekommen, daß man die alten Stile viel besser glaubte handhaben zu können, als die alten Baumeister, und man hat nicht aufgehört, diese Überzeugung an den Bauwerken der Vorzeit praktisch zu betätigen. Diesem Dünkel der Architekten verdankt es das 19. Jahr-

Manet, Eva Gonzales

hundert, daß nicht nur in Deutschland, sondern in ganz Europa kaum eine Kirche, kaum ein Profangebäude intakt geblieben ist. Man hat sie gereinigt, wie die Münchener Frauenkirche, um ihr köstliches altes Inventar durch die Pappendeckelgotik aus der Paramentenfabrik zu ersetzen, man hat mit Renovieren und Restaurieren nicht geruht, bis auch das Echte und Alte glücklich den Schimmer des Falschen und Unechten angenommen hat, und was das 19. Jahrhundert wirklich noch nicht verdorben hat, das verschäfert das zwanzigste.

Paul Baudry, Mme Edmond About   Ende 60er Jahre

A. v. Keller, Chopin   *Anfang 70er Jahre*
(Photographieverlag von Franz Hanfstaengl, München)

Nicht weniger eifrig, als während der Dauer des zweiten
Kaiserreichs die politische Welt nach Paris horchte, um
zu wissen, was ER tun oder lassen, sagen oder ver-
schweigen würde, blickte die schöne Welt dorthin, denn weit
mehr, als unter den Regierungen des Bürgerkönigs und seiner
unmittelbaren Vorgänger war der französische Hof tonangebend
geworden, seit neben dem Kaiser die schönste Frau der Welt
auf dem Throne Frankreichs saß. Man hat so oft gelesen und
gehört, daß die Kaiserin Eugénie das »Zepter der Mode« führte,
bis man es schließlich geglaubt hat und sie für alles verantwortlich machte, was die Mode jener Jahre an Extravaganzen zutage
förderte. Verfolgt man nun aufmerksam die Entwicklung der
Mode jener Jahrzehnte, so wird man mit Überraschung gewahr,

Guerard, Der Gießbach   *50er Jahre*

daß von dem angeblichen Einfluß der schönen Spanierin nichts
oder wenig zu bemerken ist. Besonders aber ist das Kleidungsstück, dessen Einführung man sich gewöhnt hat, geradezu ihr
zur Last zu legen, das, welches für die Mode des zweiten Kaiserreichs typisch geworden ist — die Krinoline, durchaus nicht
ihre Erfindung.

Als sie am 30. Januar 1853 den Thron bestieg, fand sie den
weiten Rock schon vor, und auch die Behauptung, sie habe
den Umfang der Krinoline übertrieben, um vor der Geburt
des kaiserlichen Prinzen ihre interessanten Umstände zu verbergen, stimmt nicht mit der Tatsache überein, daß die Kleider-
röcke ihre größte Weite erst nachher erreicht haben. Die Kaiserin
besaß einen vornehmen und feinen Geschmack und diejenigen
Schnitte, Farben, Stoffe, die sie aus dem bestehenden Vorrat
auswählte und trug, waren des größten Beifalls und der weite-
sten Nachfolge sicher; erfunden aber hat sie weder die einen,
noch die andern. Im Gegenteil, man liest 1859: die Kaiserin
Eugénie hat die Krinoline abgelegt, verschwunden ist diese aber
erst mehrere Jahre später, und als nach 1860 die Pariser Damen-

Guérard, Honni soit qui mal y voit!

mode das genre canaille bevorzugt, ist die Herrscherin durchaus nicht voran oder mitgegangen, sie für ihre Person hat niemals die lärmenden Farben, die gewagten Schnitte, die auffallenden Frisuren getragen, welche die Mode verlangte.

Man kann überhaupt sagen, daß niemals ein einzelner Mensch, er stehe sozial so hoch wie er wolle, die Tracht seiner Zeit bestimmt hat. Vielleicht haben Marie Antoinette, Eugénie oder andere durch ihre Stellung oder ihre persönlichen Vorzüge besonders markante Damen irgend etwas von dem, was ihnen die Mode bot, besonders bevorzugt und durch ihre Erscheinung zur Geltung gebracht, vielleicht haben sie auch etwas von ihrer eigenen Erfindung dazu getan, das ist möglich und wahrscheinlich, aber das sind immer nur Dinge von geringer Bedeutung gewesen, ein Ausputz, eine Farbe, ein Muster, — die großen Linien der weiblichen Kleidung, das was den Eindruck ihrer Gesamterscheinung ausmacht, beispielsweise der Reifrock des Rokoko, die Chemise des Empire, die Krinoline des zweiten Kaiserreichs entzog sich völlig der Macht und

Bestimmung des einzelnen. Man kann mit Hilfe der in Deutschland seit zirka 1780 aufkommenden Modejournale der Entwicklung der Mode Woche für Woche folgen und wird dann sehen, daß auch die einschneidendsten Änderungen sich nur langsam vollzogen haben, daß nirgends in der Geschichte der Mode von einem Sprung die Rede sein kann, daß niemals ein plötzlicher Wechsel eingetreten ist, der auf unvorhergesehene persönliche Einflüsse zurückzuführen wäre. Damit hängt auf das innigste jene Frage zusammen, daß wir zwar ganz genau sagen können, wie man sich in diesem oder jenem Jahre der historischen Zeiten gekleidet hat, daß wir aber nicht sagen können, warum man sich gerade so und nicht anders trug?!

In der Erinnerung an gewisse historische Epochen, das Zeit-

1850
Les Modes parisiennes

1845

Les Modes parisiennes

Correns, Herrenbildnis   *1848*

alter Ludwigs XIV., Friedrichs des Großen, Napoléons I., folgt das Bild, welches wir uns von Zeit und Menschen machen, ganz bestimmten Vorstellungen. Wir wissen genau, wie Mann und Frau aussahen, wie das Milieu beschaffen war, in dem sie sich bewegten, und aus dieser Kenntnis heraus hat man post festum zu erklären unternommen, daß das eben nur so und nicht anders sein konnte, man hat zur Erklärung der Mode einer Zeit den Geist, der eben diese Zeit beseelte, heranziehen wollen. Ganz sicher hängen beide eng zusammen, diese Zusammenhänge in ihrer Wechselwirkung bloßzulegen aber ist bisher nicht gelungen. Da hat jemand gesagt, dem engen geistigen Horizont der Frührenaissance entsprächen die engen Trikothosen der damaligen Männerwelt, dem durch die Reformation befreiten und zu weiten Gesichtspunkten geführten Menschen des 16. Jahrhunderts dagegen die weiten Pluderhosen der Landsknechte; andere haben die kokette Zierlichkeit der Rokokokleidung mit der Frivolität der damaligen Gesinnung ursächlich erklärt oder die fußfreien Röcke und die Gigots der Generation von 1830 mit der beginnenden Emanzipation der Frau in Zusammenhang gebracht, man hat Wahrscheinliches und noch mehr Unwahrscheinliches vorgebracht, eine wirklich zwingende Erklärung hat niemand gefunden, und wer diesen Fragen ernsthaft nachgeht, wird sich gestehen müssen, daß sie wohl auch niemals jemand finden wird, der Kenntnis: Wie, fehlt die Erkenntnis: Warum?

Nur so viel darf als feststehend angenommen werden, — wir

haben im Verlauf unserer Darstellung schon wiederholt darauf hingewiesen, — daß das eigenste Wesen der Mode die Übertreibung ist. Die Frauenmode hat vielleicht als einen ihr selbst unbewußten Reizfaktor für das andere Geschlecht von jeher die Tendenz gehabt, irgendeinen Körperteil des Weibes besonders stark zu betonen und in diesem Hervorheben desselben so lange zu verharren, bis alle Möglichkeiten der Übertreibung bis zur Sinnlosigkeit ausgeschöpft waren. So lernten wir schon den Reifrock des Rokoko kennen, der die Hüftbreite der Frau zu Dimensionen steigerte, die

Rayski, Ida von Schönberg   *1841—42*

dem Herrn, der sie führte, verbot, sie anders als mit ausgestrecktem Arm zu erreichen; dann trieb die Mode den Busen durch gorges postiches und Trompeusen bis zum Kinn in die Höhe; in den zwanziger und dreißiger Jahren des 19. Jahrhunderts verbreiterte sie die Schultern durch die Gigots in einer Weise, daß die gleichzeitig durch den knöchelfreien Rock verkürzte Gestalt des Weibes ebenso breit wie hoch erschien, kurz, ist's auch Wahnsinn, hat es doch Methode!

Im Beginn der vierziger Jahre tritt ein gewisser Ruhepunkt ein, eine Zeitlang ist die weibliche Kleidung (wohlverstanden: das Kleid der Schnürleibträgerin) so einfach, so zweckmäßig und vernunftgemäß, als es unter den gegebenen Umständen der Sitte und Gewohnheit überhaupt sein kann. Die Taille anliegend und mit engen Ärmeln modelliert den Oberkörper, ohne ihn zu verunstalten, der Rock, rund und von mäßiger Weite, verhüllt den Unterkörper, ohne ihn wesentlich in der Bewegung zu hindern. Man kann sagen, daß die Tracht, die etwa 1845 Mode war, das Normalkleid der Frau darstellt, die auf das Korsett nicht verzichten will. Vernunft und Zweckmäßigkeit aber bilden die Pole, von denen die Bahn einer in ewigem Wechsel rotierenden Mode stets so weit wie möglich entfernt bleiben wird, und sollte ihre Ekliptik sie ihnen jemals nahe bringen, so werden sie die zufällige Anziehungskraft durch verdoppelte Abstoßung ausgleichen. So erlebten wir beispielsweise vor einigen Jahren, daß gerade mit dem Aufkommen des Reformkleides, welches das Schnürleib entbehrlich machen wollte, eine Korsettform einsetzte, die noch viel gesundheitsschädlicher wirkt als die eben verdrängte, und nach eben diesem Gesetz, das die weiteste Entfernung von vernunftmäßiger Zweckerfüllung zu ihrer eigensten Wesenheit macht, hat auch die Mode, nachdem sie rein zufällig die Frau eine kurze Zeitlang entsprechend den Formen ihres Körpers und dem Zweck derselben gekleidet hatte, sich in ihrer Fortentwicklung so weit als möglich von dieser nur durch den Verstand vorgezeichneten Linie wieder entfernt.

Ganz langsam beginnt nach 1840 der Umfang des Rockes zu wachsen, er wird weiter und weiter, bis er etwa um 1860 am Saum gemessen zehn Meter beträgt. Da dieses Weiterwerden aber kein Längerwerden zum Zweck hatte, der Rock im Gegenteil rund bleiben sollte, so war es erforderlich, ihm einen Halt zu geben. Dafür erfand man 1843 die »Crinolisation« der Stoffe, d. h. Flanell, Tibet, Seide, Kaschmir wurden so unsichtbar mit Pferdehaar durchwebt, daß die Stoffe ihr Ansehen bewahrten und doch steif und unzerdrückbar blieben. Dann unternahm man den Rock von innen zu stützen, ihm gewissermaßen ein Gerüst zu geben, das die Stoffmasse trug und in der richtigen Form erhielt. So beginnt man schon seit etwa 1840 den Unterröcken mehr Halt zu geben, man füttert sie mit Roßhaar, man durchzieht sie mit Stricken, man legt durch den Saum eine Strohflechte und vermehrt besonders ihre Anzahl. Über einen Unterrock von Flanell zog man einen mit Roßhaar gepolsterten (der von »crin« den Namen Krinoline erhielt), diesem folgte ein solcher von Perkal mit einem Gerüst von Stricken, dann ein Rad von Roßhaar in dicken Falten, über welches ein gestärkter Jupon von Mousseline zu liegen kam, dann erst das Kleid. Die Dessous einer Eleganten setzten sich um 1856 wie folgt zusammen: lange Beinkleider mit Spitzenbesatz, ein Anstandsrock von Flanell, ein Unterrock $3^1/_2$ Ellen weit, ein Rock, bis ans Knie wattiert,

Les Modes parisiennes   *1848*

von da an mit Fischbeinstäben durchzogen, die handbreit von-
einander entfernt waren, ein leinener Rock, steif gestärkt, mit
drei steif gestärkten Volants, zwei Röcke von Mull, zuletzt das
Kleid. Wenn diese Röcke nun auch alle von leichtem Stoff
waren, einen glatten Bund hatten, meist sogar mehrere an
einem Bund saßen, so war die Last und Unbequemlichkeit,
eine derartige Menge von Stoff beständig um sich zu haben,
doch nicht gering, und man begreift es, daß der Einfall, statt
des Pferdehaarpolsters Einlagen von Stahlfedern zu verwenden,

1851
Le Moniteur de la Mode

wie eine Erlösung be-
grüßt wurde und dem
Erfinder in vier Wo-
chen 250000 Fr. ein-
trug!

Diese käfigartigen Ge-
häuse, an die wir bei
dem Wort Krinoline
denken, machten
nicht nur die eigent-
lich mit »crin« gefüt-
terten Röcke entbehr-
lich, sie gestatteten
auch, die Anzahl der
Unterröcke zu redu-
zieren; hatten doch
in den fünfziger Jah-
ren auch zu einem be-
scheidenen Trousseau
immerhin zwölf weiße
Unterröcke gehört.
Eine Krinoline mit 24
Reifen kostete 1860
nur 4½ Taler und
wog, konnte man sich
Thomsons »cage dia-

Die Krinoline

Vidal, »Péché mignon«

mant« leisten, bloß ½ Pfund! Später erfand dann ein Franzose
Delirac die »crinoline magique«, die man durch einen Handgriff
enger und weitermachen konnte. Die Krinoline war die unentbehr-
lichste Vorbedingung der Eleganz, ihre Qualität von der größten
Wichtigkeit, muß doch Bismarck 1856 für Lady Malet in Frankfurt eine solche aus Berlin besorgen! Sie verbreitet sich durch alle
Stände; die Dame im Salon trug sie, die Köchin am Herd, wie
die Bettelfrau und das Hökerweib, ja 1865 schreibt Albrecht von
Roon aus Ostpreußen, daß die littauischen Bauernmädchen sogar bei der Feldarbeit die Krinoline tragen, ebenso wie Max Nohl
1858 in Umbrien die Landmädchen in weißen Krinolinen trifft.

In manchen Gegenden Oberbayerns hat sich in der sogenannten
»Volkstracht« der weite Kleiderrock dieser Epoche bis heute
behauptet.

55

*– Ah ! je te prie de croire que l'homme qui me rendra rêveuse pourra se vanter
d'être un rude lapin*

Gavarni, aus »Les partageuses«

Da man gar nicht mehr gewöhnt war, ein weibliches Wesen
ohne Krinoline zu sehen, so wäre es aufgefallen, hätten die
Damen auf dem Theater darauf Verzicht leisten wollen. Auch
zu historischen Kostümen wurde die Krinoline adaptiert, und
als Christine Hebbel-Enghaus einst in den Nibelungen in Weimar gastierte, war es selbstverständlich, daß sie als Kriemhild
im Reifrock erschien. Sie hatte aber das Sterben nicht probiert
und als sie am Schluß hinfiel, stand die Unglückskrinoline wie
eine Glocke um sie herum und verkehrte die tragische Wirkung
in eine unfreiwillig komische!

Es versteht sich von selbst, daß ein Kleidungsstück, welches
seiner Trägerin eine so auffällige Figur machte, die Zielscheibe

Josef Karl Stieler, Bildnis der Tochter des Künstlers
Im Besitz des Herrn Generalmajor Seuffert, Augsburg

des Spottes werden mußte. Allerdings scheinen die Damen in diesem Punkte sehr empfindlich gewesen zu sein. Der preußische Gesandte Graf Brassier de St. Sauveur gab im April 1857 in Turin einen Ball, zu dem er selbst die Einladungskarte gezeichnet hatte. Da sie eine leicht karikierte Darstellung von Damen in Krinolinen enthielt, sagten mehrere Eingeladene dieses »respektwidrigen Spottes« wegen ab. Die Krinoline hat trotzdem Zeichnern, Witzbolden und Karikaturisten ein unerschöpfliches Thema geboten. Sie hat ihnen so gut standgehalten, wie den ernsthaften Angriffen, welche Vischer in den Kritischen Gängen gegen sie richtete, und als sie endlich wirklich verschwand, da waren die Witzblätter um einen dankbaren Stoff ärmer; erst seit dieser Zeit sind die Fliegenden Blätter auf Schwiegermütter, Leutnants, Juden, Studenten und Dackel reduziert!

Da die Geschmacksrichtung auf einen möglichst großen Umfang des Kleiderrockes abzielte, so suchte man diesen, außer der Unterstützung durch die Krinoline, auch noch dadurch zu steigern, daß man die Kleider reich garnierte. Es war die Zeit, in der das Volant fast 20 Jahre hindurch unumschränkt herrschte. Man trug aus schwereren Stoffen Doppelröcke, aus leichteren 3 bis 4, selbst 5 und 6 Röcke von verschiedener Länge, beliebter aber war das Volant, das entweder vom Stoff des Kleides gemacht wurde, aus Spitzen oder auch aus Mull oder Tarlatan auf Seide von gleicher Farbe bestand. Um 1840 begnügte man sich noch mit 1 Volant um den Saum, 1846 trägt man schon 5, 7, 9, die bis an das Leibchen reichen, 1852 sind Kreppkleider mit 15, Organdykleider mit 18, 1858 solche aus Tarlatan mit 25 Volants keine Seltenheit mehr, ja 1859 trug die Kaiserin Eugénie auf einem Ball ein Kleid von weißem Atlas mit 103 Tüllvolants! Die robe de relevailles, in welcher die hohe Frau nach der Geburt des kaiserlichen Prinzen zum ersten Male wieder öffentlich erschien, war mit Spitzenvolants im Werte von 35000 Franc besetzt; sie stiftete sie nach N. D. de la Garde in Marseille. Das Kleid in dem Marie von Bunsen 1869 am Berliner Hofe vorgestellt wurde, war von grünem Atlas und mit Volants besetzt, die aus 32 Meter Malines Spitzen bestanden. — Man hat das Volant mit der größten Mannigfaltigkeit angewendet, man hatte es geglöckelt, paspoiliert, ausgezackt, angekraust, festoniert, plissiert, gefranst; man wählte

Winterhalter, Duchesse de Montpensier

— *La dernière passion de mon époux ? voilà ce qu'en dit le daguerreotype.*
— *Pas jolie, l'air commun . . . . . et quelles mains ! . . . on se demande ce qu'une créature comme ça peut avoir pour elle.*
— *L'illégitime, ma chère.*

Lithographie von Gavarni

es von einer vom Rock abstechenden Farbe, man besetzte z. B. 1856 ein graues Taffetkleid mit 5 Volants in verschiedenen grünen Tönen, wechselte bei einer Toilette von rosa Organdy bei 7 Volants mit rosa und weiß ab, ja, man garnierte diese Garnituren selbst wieder, indem man die Volants mit Rüschen, Spitzen, Bändern besetzte, mit Stickereien verzierte usw. 1850 trug ein Rock von weißem Lyoner Tüll 3 Volants, von denen jedes mit 5 Rüschen besetzt war. 1858 machte in Fontainebleau eine Robe von maisgelber chinesischer Gaze Aufsehen, der Rock zählte 15 Volants, deren jedes 3 schmale schwarze Sammet-

Les Modes parisiennes 1851

Ingres, Familienbild 1853

bändchen trug. Wer an die Arbeit denkt, die so weite und so
reichgarnierte Kleider machten, der entsinne sich, daß in den
fünfziger Jahren die amerikanische Nähmaschine in Europa
Eingang findet. In deutschen Kleinstädten mußte man sie allerdings noch direkt kommen lassen; in Brandenburg a. H. z. B.
kam 1855 eine derartige Maschine auf 80 Taler zu stehen.
Aus dieser flutenden Masse von Stoff taucht der Oberkörper
auf, wie sich ein Zeitgenosse ausdrückt, »wie ein Lilienstengel
aus der Tonne«. Die Taille nimmt an der Bewegung, welche
die Röcke zu Ballons aufbauscht, insofern teil, als sie den Ärmel
allmählich ebenso auftreibt. 1845 ist der Ärmel noch eng und
lang, er beginnt aber sehr bald sich zu ändern, und nachdem
man ihn eng oder weit, kurz oder lang, weit flatternd oder
in Falten gezogen getragen hat, bürgert sich um 1850 jene

1853
Les Modes parisiennes

Form ein, die man Pagodenärmel nannte und die sich so ziemlich ein ganzes Jahrzehnt behauptet hat. Der Ärmel setzte an
der Schulter eng an und öffnete sich vom Ellbogen ab in einer
weiten Glocke, man hieß ihn später auch Halbpagode und
griechischen Ärmel. Um den Unterarm nicht frei zu lassen,
trug man vom Ellbogen an weiße Unterärmel von Batist, die
sich nach und nach so aufblähten und solchen Umfang an-

Les Modes parisiennes 1854

nahmen, daß sie durch Stärken in der Wäsche allein nicht
mehr Halt genug bekamen. Wer auf die Schönheit und die
Fülle seiner Ärmel Wert legte, trug 1860 leichte Stahlreifen
darin. Die so beliebten Volants kamen auch an den Ärmeln
zur Geltung, man bildete sie z. B. aus lauter Volants oder
besetzte sie von oben bis unten damit, so daß eine derart
gekleidete Dame wirklich aussah, als bestände sie aus lauter
ineinandergesteckten Düten!
Der Hals blieb frei, den Abschluß der Taille bildete nach oben
ein Spitzenkragen, in denen man großen Luxus entfaltete, 1848
gerade war es äußerst schick, zu einem billigen Jakonetkleid,

1855
Les Modes parisiennes

1855

Le Follet

Les modes parisiennes

1854

Kindermann, Glasermeister Achelius und Frau 1855

das nicht mehr als höchstens 3—4 Taler kostete, Spitzenkragen für 30—36 Taler zu tragen! Für Gesellschaften war
der Ausschnitt erforderlich und in der Tiefe desselben ist man
bis an die äußerste Grenze der Möglichkeit gegangen; soll doch
ein Provinzler, als er 1855 einem Ball in den Tuilerien bei-
wohnte, ganz entsetzt ausgerufen haben: »So etwas habe ich
nicht gesehen, seit ich entwöhnt bin!«

Diesen sehr tiefen, also auch sehr weiten Ausschnitt faßte eine
Berte ein, welche Schultern und Büste wie ein Rahmen um-
schloß. Man fertigte sie aus Bändern, Rüschen, Spitzen, Stickereien, verzierte sie mit Blumen und Federn und konnte seiner
Phantasie im Ausputz freies Spiel lassen. Die aparteste aller
Berten war wohl jene, welche die Kaiserin Eugénie sich mit
Hilfe der französischen Krondiamanten zusammenstellen ließ,
sie bestand aus Rubinen, Saphiren, Smaragden, Türkisen, Ame-
thysten, Hyazinthen, Topasen und Granaten, die mehrere Hundert Brillanten zu einem Ganzen verbanden.

Le Moniteur de la Mode 1856

Für das Haus kam 1848 die russische Kasawaika von Sammet
auf, ihr folgten im Anfang der fünfziger Jahre Schoßtaillen,
die sich vorn über einem andersfarbigen Westchen öffneten,
man nannte sie Basquinen oder seit 1860 Zuavenjäckchen, wenn
ihre langen Ärmel bis zum Ellbogen aufgeschlitzt waren; ihnen
folgten die weißen Blusen, die man durch Tragebänder mit
dem Rock in Zusammenhang brachte, zu diesem Zweck verwendete man sehr schöne und sehr kostbare Bänder, die auch
als Schärpen sehr beliebt waren.
Man trug dazumal Seide und Atlas auch auf der Straße und

zu allen Stunden des Tages. Als der Marschall Castellane 1857 der Kaiserin Charlotte von Rußland seine Aufwartung machte, empfing sie ihn um 11 Uhr morgens in einem Kleid von weißem Moiré antique. Wie sehr die elegante Madame Cordier die braven Frankfurterinnen damit chokierte, daß sie bei Regenwetter ihre spitzenbesetzten Atlaskleider durch den Straßenschmutz zog, erzählte Bismarck noch viele Jahre später seinen Leuten in Versailles. Für diese kostspielige Mode sorgte die Industrie durch die herrlichsten Muster und die schönsten Stoffe; changeanter Taffet, damaszierter Rippes, chinierte, jaspierte, marbrierte, karierte Merveilleux

Wilh. v. Kaulbach, Kinderbildnis

waren schon zu 60 Fr. der Meter zu haben! Ihre köstlichsten Schöpfungen, wahre Wunder von Reichtum und Geschmack, steuerte die Seidenweberei zumal die Lyoneser für die Gesellschaftstoiletten bei. Da waren Gold- und Silberbrokate mit broschierten Sträußen von bunter Seide, Lampas mit goldenen Palmen, Brokatelle mit eingewirkten Blumen in Gold- und Silberfäden und besonders Moiré antique in allen Farben, der wegen seiner prachtvollen Wirkung außerordentlich beliebt war; 1857 mußte Malwine von Arnim in Bismarcks Auftrag für ihre Schwägerin ein weißes Moiré antique-Kleid für 100 Taler kaufen!

Die Kaiserin Eugénie nannte diese kostbaren Toiletten ihre politischen, weil sie durch das Tragen derselben Nachahmung zu finden und der französischen Industrie hilfreich zu sein wünschte. Im Trousseau der schönen Spanierin befanden sich 100 seidene Roben und die Fabrikanten schenkten der neuvermählten Kaiserin 1853 noch 39 Roben ihrer kostbarsten Gewebe. Lyoneser Seide war denn auch lange Jahre ein Zauber-

Les Modes parisiennes 1835

wort in den Ohren der Damen, selbst Moltke schreibt 1851
seinem Bruder voll Stolz, daß er seiner Frau zu Weihnachten
ein Lyoner Seidenkleid, gros grain mit Damastmuster, schenken
wird. Die Kaiserin tat sich Zwang an, wenn sie Roben von
schweren Stoffen anlegte, sie bevorzugte weit mehr die leichten
und luftigen Gewebe und darin teilte sie den Geschmack der

Mehrzahl ihrer Zeitgenossinnen. Krepp, Gaze, Barège, Musselin, Grenadine, Jakonas, Organdy, Tüll, Tarlatan und wie die Stoffe alle heißen mögen, waren ebenso begehrt wie die Seidenzeuge und die Industrie hat sich überboten, in diesen durchsichtigen, durchscheinenden, durchbrochenen Geweben immer Neues, noch nicht Dagewesenes zu bringen. Da erschien 1852 die »kristallisierte« Gaze, welche aus zwei zusammengewebten Gazen verschiedener Nuancen bestand; da gab es Tarlatan, der mit Gold- und Silbersternen besät war, Tüll mit eingestickten Girlanden, bedruckten Musselin, grobfädige Chambéry-Gaze, und diese duftigen Stoffe, die man am liebsten über seidenen Röcken von gleicher Farbe arrangierte, gaben ihrer Trägerin in der Tat den Eindruck einer schwebenden Wolke, mit der die Schönen sich dazumal am liebsten vergleichen ließen. Auch darüber konnte eine Mondaine beruhigt sein, das Tragen dieser leichten Stoffe war ebenso kostspielig, als wenn man seidene gewählt hätte. Ein weißes Kleid mit Volants konnte man nur einmal anziehen, dann war es nicht mehr frisch, und wenn man 1859, zur Zeit, als die Röcke ihre größte Weite erreicht hatten, zu einem Tüllkleid von vier Röcken, die mit Rüschen besetzt waren, 1100 Ellen Zeug rechnete, so machte die Menge, die man brauchte, den billigen Preis wieder wett. Das Leichte und Luftige, das so anmutig war, barg aber auch große Gefahren, denn diese Wolken dünner und dünnster Zeuge brannten wie Zunder, wenn eine Dame das Mißgeschick hatte, Feuer oder Licht zu nahe zu kommen. Nie

Unglücksfälle

Les Modes parisiennes   *1857*

71

Les Modes parisiennes   *1857*

haben sich so viele Unglücksfälle ereignet, als in den Jahren,
da mit den weiten Röcken die leichten Stoffe en vogue waren.
1851 verbrannte die Herzogin de Maillé, als sie im Schlosse
Rocheguyon bei Freunden zu Besuch am Kaminfeuer saß; die
Tochter Wilhelms von Kügelgen verbrannte 1853, während sie

1855
Les Modes parisiennes

. . . . Vous pouvez entrer, cher baron . . . . entre nous, pas de gêne
. . . Mais c'est que . . . . au contraire . . . je ne puis . . . et je ne comprends pas comment
vous êtes entrée vous-mêmes ! ! . . . .   *Vernier*

sich zum Ball ankleidete; die Schauspielerin Emma Livry fand in
Paris auf offener Bühne einen gräßlichen Feuertod; 1856 steckte
die Prinzeß Royal, die spätere Kaiserin Friedrich, beim Siegeln
eines Briefes ihre Ballonärmel in Brand und zog sich schwere
Verletzungen zu, 1867 fand die Erzherzogin Mathilde, die
Tochter des Erzherzogs Albrecht, ein schreckliches Ende, indem
sie, beim Rauchen betroffen, ihre Zigarette in den Falten ihres
Kleides verbergend, dieses in Brand setzte. Die fürchterlichste
Katastrophe aber ereignete sich 1863, wo am Tage Mariä
Empfängnis in der Kathedrale zu Santiago 2000 Frauen ver-
brannten, weil das Feuer einer in Brand geratenen Draperie
an den leichten Stoffen der Damenkleidung nur allzu viel
Nahrung fand.

Der große Umfang von Rock und Ärmeln hat naturgemäß die *Der Schal*
Mäntel in den Hintergrund gedrängt, man behalf sich mit
Umhängen und Schals und so finden wir bereits die dritte
Generation, die den Kaschmirschal trägt. Er hat seine früher
so beliebte lange und schmale Fasson mit einer quadratischen
vertauscht, die Phantasiemuster mit dem türkischen, kostbar

und begehrt aber ist er geblieben. 1858 schreibt Bismarck, daß man in Paris immerhin 1200–1500 Fr. an einen echten Kaschmirschal wenden müsse und das, trotzdem ihm in dem Crêpe de Chine-Schal ein gefährlicher Konkurrent erwachsen ist. Dieses leichte, glänzende, weiche und haltbare Gewebe zu Schals verarbeitet, die reich in Seide gestickt und mit schweren eingeknüpften Seidenfransen umgeben waren, konnte nicht anders als das Entzücken aller geschmackvollen Damen erregen. Es war und blieb ein aristokratisches Kleidungsstück, denn diesen bezaubernden Stoff kann kein Surrogat billig imitieren.

1858   *Photographie*

Neben dem Schal behauptet sich die Mantille, die von der Mode so gut wie unberührt, häufiger den Namen als den Schnitt wechselt. Man fertigt sie aus Chamäleontaffet, aus ombrierter Grenadine, aus Sammet und Spitzen, nennt sie »Camail«, »Crispine«, »Cardinale«, »Redowa«, schließlich schweift die Mode in die Weite, nennt die Mantille nicht nur zur Abwechslung »Arragonaise« oder »andalusischen Halbmantel«, nein, sie borgt sich Schnitte und Stoffe aus der Ferne. 1846 trägt man den schwedischen Überwurf, 1848 moldauische Mäntel und ihnen folgen bald der algierische Burnus, die arabische Beduine, das russische Baschlik und die schottischen Rotonden mit den schönen Original-Tartanmustern, die, seit James Logans Prachtwerk die Aufmerksamkeit auf sie gelenkt hatte, schon seit den vierziger Jahren sehr verbreitet waren, nun aber durch die wiederholten Besuche der Kaiserin Eugénie in ihrer mütterlichen Heimat erneut in Aufnahme kommen.

Die ganze Mode, wie wir sie im Vorhergehenden zu skizzieren versuchten, war in dem übertriebenen Umfang, den sie dem weiblichen Wesen gab, ebenso phantastisch und grotesk, wie anspruchsvoll. Das letztere im doppelten Sinn: einmal verlangte sie von der Frau selbst beständige Aufmerksamkeit und eine fortwährende Beschäftigung mit ihrer Toilette, dann aber war sie ebenso anspruchsvoll gegen das andere Geschlecht, das zwischen den Platz heischenden Krinolinen völlig verschwand. Diese ganze Seite der damaligen Mode hat eine Zeitgenossin, Madame Carette, in ihren Memoiren sehr anschaulich geschildert. Wir lassen ihr in folgenden Zeilen selbst das Wort und

Le peintre à la Mode

fügen nur hinzu, daß die Schreiberin sich als Palastdame der
Kaiserin Eugénie an hervorragender Stelle befand, ihre Schilde-
rung (also ebenso kompetent wie amüsant ist: »In der ersten
Hälfte des Kaiserreichs war die Mode recht sonderbar. Unsere
Eleganten von heute, die ihr schlankes Körperchen möglichst
eng einwickeln, würden sich entsetzen, müßten sie in jener
Stoffmasse erscheinen, welche, von einem Stahlkäfig gehalten,
einen Umfang erreichte, der es nahezu unmöglich machte, daß
drei Damen gleichzeitig in einem kleinen Boudoir Platz nahmen.
Das alles baute sich aus weise angeordneten Draperien von
Fransen, Rüschen, Spitzen, Plissees auf und endete in einer
langen Schleppe, die ein Bewegen in überfüllten Salons sehr
schwierig machte. Es war eine Mischung aller Stile, man ver-
einigte griechische Muster mit den Paniers aus der Zeit Ludwigs XVI., die Basquine der Amazonen der Fronde mit den
Hängeärmeln der Renaissance. Es war vielleicht schwerer als
heute, reizend zu erscheinen, und wenn der Charme der Erscheinung nicht verschwinden sollte, so bedurfte es in dem
Gleiten des Ganges, in den Bewegungen, in einer gewissen

76

Lami, Il faut qu'une porte soit ouverte ou fermée (Dramolet von Musset)

Nachgiebigkeit der Taille außer der Anmut, welche aus der
Schönheit der Formen hervorgeht, auch noch einer beständigen
Beobachtung seiner selbst. Man begreift das, sieht man die
Bilder jener Zeit, man braucht nur einige Züge boshaft zu betonen und — die Karikatur ist fertig! Grazie und Distinktion,
von denen man heutzutage nicht mehr spricht, zogen damals
eine nicht zu überschreitende Grenze zwischen den verschiedenen Klassen der Gesellschaft. Man sieht, daß es für die Ge-
schicklichkeit der Frau keine Hindernisse gibt, wenn sie es
verstanden hat, sogar einen so sonderbaren Putz zu ihrem
Vorteil zu verwerten. Gehen war nicht leicht, wobei man
zugleich die Unmenge Stoff, welche einen von allen Seiten
umgab, fortbewegen mußte, zumal die enge Taille, die in der
Mitte dieser Masse saß, wie losgelöst von dem übrigen Körper schien, — sich setzen aber, ohne daß die Stahlreifen eine
falsche Richtung bekamen, war geradezu ein Kunststück. In
den Wagen steigen, ohne die leichten Tüll- und Spitzenstoffe
zu zerdrücken, erforderte viel Zeit, sehr ruhige Pferde und
einen übergeduldigen Mann! Reisen, sich hinlegen, mit seinen
Kindern spielen, ja, nur ihnen die Hand geben, um mit ihnen
spazieren zu gehen — das waren Probleme, zu deren Lösung

große Zärtlichkeit und viel guter Wille gehörten. Um diese Zeit verlor sich denn auch allmählich der Gebrauch, Damen den Arm zu bieten, um sie zu begleiten.«

Wenn die liebenswürdige Verfasserin an einer anderen Stelle von den furchtbaren Röcken spricht, deren Riesenglocken in den mit Nippestischen angefüllten Zimmern zu schrecklichen Katastrophen führten, so fühlt man ihr nach, daß die Generation der Krinoline müde war. Die Lächerlichkeit, die Unbequemlichkeit und die Eitelkeit haben sie schließlich doch umgebracht.

1859   *(Naturaufnahme)*

In demselben Jahr, als die Krinoline ihren größten Umfang erreicht hat, im Januar 1859, geht ein Raunen durch den Blätterwald der europäischen Zeitungen: die Kaiserin Eugénie war auf einem Hofball ohne Krinoline! Das war eine Neuigkeit, die selbst die berühmte Neujahrsansprache Napoléons an Baron Hübner in den Hintergrund drängte! Es schien unmöglich — und doch verlautet noch im Herbst des gleichen Jahres, gelegentlich der Einladungen nach Compiègne, die Kaiserin habe die Parole ausgegeben: keine Krinoline! Alsbald ertönt aus England das Echo: die Königin Viktoria hat die Krinoline abgelegt. 1860 bestätigen die Berichte von der berühmten Moderevue in Longchamps: man sah keine Krinolinen mehr. Unglaublich und wirklich nur halbwahr, sie hatte nur ihre Form geändert, denn daß die Totgeglaubte noch immer lebte, konstatieren viel spätere Meldungen, die nun nicht mehr so alarmierend lauten. 1864 heißt es aus Wien: die Kaiserin Elisabeth hat die

Krinoline definitiv abgelegt, 1866 aus Paris: die Kaiserin Eugénie trägt keine Krinoline mehr. Man kann wirklich das Jahr 1860 als den Wendepunkt betrachten, an dem der Umschwung einsetzt, allmählich und langsam, wie alle derartigen Änderungen. Am meisten dürfte wohl die Eitelkeit dazu beigetragen haben, daß die Riesenkäfige, die den Unterkörper der Frau von der Taille an völlig versteckten, endlich fielen, man wollte sein Licht nicht mehr unter den Scheffel stellen, man wünschte, die Vorzüge einer schönen Figur, die doch an der Taille nicht plötzlich enden, auch zu zeigen!

1859   (Naturaufnahme)

So beginnen jetzt vor allem die Reifen der Krinoline hinunter zu rutschen, man läßt sie nicht mehr direkt unter der Taille anfangen, sondern erst am Knie; so modelliert das enger werdende Kleid die Hüften und fällt erst von den Knien ab weit und faltig auseinander. Gleichzeitig ändert sich der Rock noch nach anderen Richtungen. Die Tendenz, durch das enger werdende Kostüm die Trägerin schlanker zu machen, zieht als natürliche Konsequenz die Schleppe nach sich; das Kleid, welches den Körper bis über die Hüften deutlich heraus modelliert, sich an den Knien erweitert, fließt nun in reichen Falten als Schleppe zu Boden und zieht die Figur scheinbar in die Länge.

Dieser Wunsch nach dem Schlanken hat 1865 das Prinzeßkleid kreiert, bei dem Rock und Taille aus einem Stück bestehen, man nannte den Schnitt damals »Gabriele«. Kaum zeigt sich die Schleppe wieder, so artet sie auch sofort in

79

Constantin Guys, Studie

ein Übermaß aus, sie wird ellenlang, 1866 sind Haus- und Straßenkleider, die 1—2 Meter auf dem Boden liegen, nichts Ungewöhnliches. 1863 schrieb der »Figaro« in Paris, die Schleppen seien jetzt so lang, daß man nirgend mehr zu fegen brauche. 1865 berichtet Moltke an seine Frau aus Wien über die Toilette der Kaiserin Elisabeth: ihr Anzug sei zwar nur ein einfaches weißes Kleid gewesen, aber von einer solchen Weite und Länge, daß Prinz Friedrich Karl die größte Behutsamkeit nötig gehabt hätte, sie zu führen.

Gleichzeitig taucht aber neben dem ellenlangen, das fußfreie Kleid auf. Beide führen jahrelang einen Krieg miteinander, in welchem Übertreibung die Übertreibung überbietet. Die Inkonvenienzen, welche das Tragen so vieler rund aufliegender

Constantin Guys, Auf der Promenade

Röcke auch in Bezug auf die Sauberkeit mit sich brachten, hatten einmal schon 1845, den »Pagen« aufkommen lassen, den Gummistrick, mit dem wir noch unsere Mütter ihre Kleider schürzen sahen, ferner zu Vorrichtungen geführt, die, wie der porte jupe Pompadour unsichtbar angebracht, erlaubte, das Kleid an vier Seiten hochzuziehen, hatten aber vor allem seit 1857 zum Tragen farbiger Unterröcke geführt.

1857 taucht in Paris der erste rote Unterrock auf, 1859 folgen ihm ein solcher von schwarzer Seide und jener von grauer englischer Wolle mit bunten Mustern, den man den albanesischen nannte, und da man schöne bunte Jupons nicht nur trägt, um weiße zu sparen, sondern sie auch sehen lassen will, so kommt man ganz von selbst zum fußfreien Rock.

Man hat die Einführung des fußfreien Rockes mit der Reise,

Les Modes parisiennes   1859

welche die Kaiserin Eugénie 1860 nach Savoyen machte, in Zusammenhang gebracht, die Tendenz dazu setzt aber schon früher ein, denn für Compiègne war 1859 schon die Ordre ausgegeben worden: man darf die Füße etwas sehen. Je länger nun die zur gleichen Zeit einsetzende Schleppe wird, je kürzer wird der fußfreie Rock, je höher schürzt man das Kleid über dem Unterrock. Der weiße Jupon wird bei den Eleganten unmodern, man macht die Unterröcke jetzt aus allen Stoffen und Farben, ja, man trägt z. B. in Biarritz 1861 weiße Spitzenkleider über lila- oder schwarzwollenen Unterröcken! Mérimée schreibt in diesem Jahr aus Biarritz an Panizzi: »man sieht hier Damen von jedem Rang und allen Graden der Tugend in den auffallendsten Toiletten, am Strande sieht es aus wie im Karneval.« Für den Aufenthalt in Compiègne hatte die Kaiserin Vormittagskleider komponiert, die aus einer blau- oder rotwollenen Bluse und einem Rock von schwarzer Seide bestanden, der über einen wollenen Unterrock von der gleichen Farbe wie die Bluse gerafft war.

Mit der Tonnenkrinoline fällt auch der weite Ärmel, der lang

Lami, Der Ehevertrag

und eng wird, fallen auch die Volants, deren Stelle durch Passementerie, Soutachierung, Bandbesatz, Rüschen ersetzt wird. Ein feines Wollkleid mit Guipure kostete 1864 in Paris bis zu 1000 Fr.; die Passementerie zu einem Kleid konnte leicht 80 Taler und mehr betragen! Gräfin Tascher de la Pagerie berechnete, daß 1869 in Paris ein gewöhnliches Kleid 600—700 Fr. kostete, während ein Gesellschaftskleid nicht unter 1200—1500 Fr. zu haben sei. Die Marquise de la Ferronays sah ein solches mit Zwischensätzen von points d'Alençon für 4500 Fr., während die Prinzessin Souwarow auf einem Ball eine Toilette für 30 000 Fr. trug.' Aus den Rechnungen des Modisten einer »dieser Damen« entnehmen wir: blaues Tuchkleid mit Pelzbesatz 800 Fr., Barège-Kleid in Weiß und Lila 700 Fr., schwarzes Grenadine-Kleid 380 Fr., Ballkleid in weißem Tüll Illusion über Farbton 400 Fr., Mantel von gesticktem Kaschmir 825 Fr., von schwarzem Alpacca 525 Fr., von Crêpe de Chine 375 Fr. Für Gesellschaftskleider wird der Pelzbesatz sehr beliebt. In den Tuilerien bewunderte man 1861 zwei Toiletten, die eine aus zitronengelbem Sammet war mit Zobel, die andere aus rosa Moiré antique war mit Astrachan garniert. Im Jahre 1859 ist in Leipzig erstmals der Skunks aufgetaucht. Bei Ballkleidern aus leichten Stoffen suchte

man den Luxus im Besatz. 1864 trug z. B. ein Tarlatankleid 600 bis 700 Meter Rüschen, 1865 übersät man die Tüllkleider, zu denen man 37 Meter brauchte, bis zum Übermaß mit kleinen Käfern, Schmetterlingen, Wassertropfen, Glöckchen, Flittern, Perlmutter usw. Die Kaiserin Eugénie trug 1862 ein einfaches weißes Tüllkleid ganz bestreut mit Diamanten, deren Wert auf zwei Millionen geschätzt wurde!

An die Stelle der gerafften Doppelröcke tritt 1861 die glatte Tunika, welche 1866 ihre

Feuerbach, Damenbildnis   *1854—55*
Phot. F. Bruckmann, München

Schnitte der Antike entlehnt und sich dann »Peplum« nennt. Man beginnt bald Rock und Tunika aus verschiedenen Stoffen und von verschiedenen Farben zu machen, so trug Marie von Bunsen 1868 in Florenz ein Kleid von weißem Tüll mit einer Tunika von hellblauem Atlas, die mit schwarzen Schleifen und Rosetten besetzt war. Solche Roben, die man nach der bekannten Fürstin Pauline »Metternich-Kleider« nannte, trug man, während es zur gleichen Zeit Mode war, Kleid, Überwurf und Paletot von gleichem Stoff, Hut, Schirm und Schuhe dazu wenigstens von derselben Farbe zu wählen. Gewissermaßen ein Zustand der Anarchie, denn man durfte auch ganz lange oder ganz kurze Kleider tragen.

Dem geänderten Schnitt tragen andere Stoffe Rechnung. An Stelle der schweren Seiden treten leichtere Zeuge, Halbseiden, leichte Wolle; sehr beliebt wird der Alpacca, den man auch chinesischen Taffet nannte, Popeline, Mohair, Foulard, englische Velveteens, Rohseide; für Sommerkleider Batist, Rohleinen,

Franz Xaver Winterhalter,
Kaiserin Eugenie

Im Besitz von Mme. Gardner, Paris

Gravüre-Verlag Photogr. Union, München

Moritz v. Schwind, Auf der Brücke (Ausschnitt) 1860

Für Ballkleider bleiben Tüll und Tarlatan um so mehr en vogue, je mehr die Fabrikanten es verstehen, Neuheiten darin zu bringen, wie z. B. opalisierende und changeante Gewebe.

Das Jahr 1867 kann man als das Datum betrachten, mit dem die Krinoline wirklich endgültig verschwindet. »Nun ist die Mode steuerlos«, klagen die Hohepriester der Bekleidungskunst. Sie hat sich schnell genug wieder orientiert, die steuerlose Mode, mit vollen Segeln steuerte sie einem andern Extrem zu. 1858 regiert die Krinoline und bauscht den Unterkörper der Frau zur Unförmlichkeit des Ballons auf, 1868 sitzt der Rock glatt um die Hüften, fällt ohne Falten auf den Boden, hat also wieder eine gewisse normale Grenze erreicht. Die einmal eingeschlagene Richtung des Verengerns der Röcke hält indessen an und geht so weit, daß bereits 1878 die äußerste Grenze erreicht ist, die ein zunehmendes Engerwerden nicht mehr gestattet; sagte man doch damals, daß eine Elegante sich

die Knie zusammen-
binden müsse beim
Gehen, sonst sprenge
sie ihr Kleid.

1868 fängt die bis da-
hin glatt getragene
Tunika an, sich in
Paniers um die Hüf-
ten zu legen und da
sie dann rückwärts
bauschen muß, for-
dert sie gebieterisch
die Tournüre. Die län-
ger werdende und in
spitzer Schnebbe en-
dende Taille schnürt
den Busen nach oben,
der überenge Rock
zeigt die Formen, die
er verhüllen soll, und
betont durch den cul
de Paris jenen Kör-
perteil, von dessen an-
genehmen Rundungen in guter Gesellschaft nicht gesprochen
werden darf! Binnen 20 Jahren hat die Bahn der Mode die
Extreme berührt, von übertriebenster Weite zu übertriebenster
Enge pendelnd, und wenn ein so berühmter Ästhetiker, wie
Vischer, der einst gegen die unmögliche Krinoline gewettert,
20 Jahre später seine Stimme gegen die unmöglichere Tournüre
erhebt, wenn er schilt, höhnt, bittet, beschwört, so beweist er
nur, daß die Ästhetik keinen Schlüssel zum Wesen der Mode
besitzt. Er appelliert an den gesunden Verstand, an den guten
Geschmack und weiß nicht, daß diesen Richtern über die Mode
doch gar kein Urteil zusteht.

Frisur und Coiffure   Eins der wesentlichsten Elemente der Frauenschönheit ist das
Haar und die Art es zu tragen, und da auch die Allerärmste,
die nicht imstande ist, an ihren Anzug etwas zu wenden, immer
noch die Möglichkeit besitzt, durch ihre Frisur den Eindruck
ihrer Persönlichkeit zu steigern, so hat auch die Mode diesem
Teil der weiblichen Toilette stets die sorgfältigste Aufmerk-

1860   (Naturaufnahme)

1860   (Naturaufnahme)

Les Modes parisiennes

1860

1855

Franz Xaver Winterhalter, *Die Kaiserin Eugenie mit ihren Hofdamen*

Versailles, Museum

Eduard Magnus, Damenbildnis   *1860*

samkeit zugewendet. Der Beginn der vierziger Jahre findet als Modefrisur die langen Schmachtlocken zu beiden Seiten des Gesichts, eine Haartracht, die aus England nach dem Kontinent gedrungen war und sich auch in England bis tief in das nächste Jahrzehnt erhalten hat, weit länger als im übrigen Europa. In unserer Erinnerung lebt diese Frisur nur noch als Reminiszenz an einige alte Porträts z. B. das Annettes von Droste-Hülshoff; im übrigen hat man sehr bald auf sie verzichtet. Man scheitelte das Haar in der Mitte und trug es in flachen, später dicker gelegten Wülsten (das, was wir heute »Madonnenscheitel« nennen) über die Ohren nach hinten ge-

nommen, wo man es in ein Netz steckte. Um 1860 kommt der gelockte sog. Wellenscheitel auf, noch später, um 1865, legt man diese Scheitel in mehrere Puffen und sammelt das Haar am Hinterkopf in den Chignon, der mit der Krinoline zusammen das typisch gewordene Bild der Mode des zweiten Kaiserreichs gibt. Erst saß er als »Cadogan« tief im Nacken, später auf der Höhe des Hinterkopfes, begleitet am liebsten von langen Locken, die tief und möglichst unregelmäßig auf den Hals hingen. Wie die Krinoline begann er in bescheidenem Umfang und schwoll dann zu Dimensionen an,

1860   *Photographie*

die ihn fast so groß machten, wie den ganzen übrigen Kopf. In dieser entstellenden Form war er die Zielscheibe unzähliger guter und schlechter Witze.

Mit dem natürlichen Schmuck des Kopfes hat sich die Frau indessen in jenen Jahrzehnten nicht begnügt, sie wußte den Eindruck, welchen sie zu machen wünschte, durch die Coiffure ganz wesentlich zu unterstützen und wie ihre Mütter in den zwanziger und dreißiger Jahren des 19. Jahrhunderts, so haben auch die Töchter während der vierziger, fünfziger und sechziger Jahre sich so gut wie niemals im bloßen Haar gezeigt. Der Kopfputz war ein so wesentlicher, so ausschlaggebender Bestandteil des weiblichen Putzes, daß die Mode nicht müde wurde, täglich Neuigkeiten darin zu bringen, ja, der Pariser Coiffeur Croizat, dem es mit seiner Kunst ernst war, entschloß sich 1848 in einem Werke von nur fünf Bänden all sein Wissen und Können in Hinsicht auf diese Materie zu sammeln. Was hat man nicht alles im Haar getragen! Gold- und Silberborten, Seiden- und Sammetbänder, Federn, Netze von Goldfäden, Chenille, Blondenschleier mit Goldmustern. In Frankreich brachte 1853 die Heirat Napoléon III. die spanische Spitzen-Mantille in die Mode; 1854 streute man in Paris Gold- und Silberpuder in das Haar. Bekannt durch die Phantastik ihres Kopfputzes war in Paris die berühmt schöne Gräfin Castiglione, die sich gelegentlich eine Aureole von Marabouts aufsetzte, wie ein indischer Kazike. Am Hofe in Madrid trug man 1856 Kopfputze von peruvianischer Federnar-

1860   Photographie

beit, eine sehr beklagenswerte Mode, die uns vieler der kostbarsten alten Arbeiten dieser nicht mehr geübten Technik beraubt hat.

Am beliebtesten, weil am kleidsamsten, waren und blieben natürlich die künstlichen Blumen. Welcher Stoff oder welcher Zierat existierte auch, dessen unendliche Mannigfaltigkeit in Formen und Farben ihn für jeden Geschmack, für jede Nuance von Haar und Teint, für jedes Alter so geeignet zum Putz machte, wie gerade Blumen. Es gehört zu den vielen Unbegreiflichkeiten der Mode, daß sie seit Jahrzehnten so gut wie ganz auf diesen schönen Schmuck verzichtet hat. Einzeln, in Kränzen, als Tuffs, in Girlanden gab sie damals den Damen Blumen und Blätter ins Haar, sie bestreute sie mit blitzendem Tau, sie schuf zu tausend Varietäten noch tausend Phantasieblumen, und wenn sie die Schönen dadurch noch schöner machte, so hat sie wohl die Häßlichen auch noch häßlicher gemacht!

91

Der Hut

Guys, *Studie*

Ganz entsetzt schreibt z. B. Richard Wagner seiner Frau Minna 1855 aus London, wie schändlich sich die Engländerinnen trügen: »Blumen und lange Locken und dazu rote Nasen und eine Brille!«

Als Hutform behauptet sich die große Schute, die, den Kopf ganz einschließend, durch ihren abstehenden Nackenschirm diesen und den Hals zwar schützt, aber auch verbirgt. Um das Gesicht herum lag eine Wolke von Gaze, Tüll, Blonden in allen Farben des Regenbogens, den Hutkopf schmückten Blumen, Federn, Früchte und riesige schärpenartige Bindebänder hielten das Gebäude unter dem Kinn fest. Diese Pyramiden, denen Madame Carette wohl mit Recht nachsagt, daß sie den Kopf nicht nur beschwerten, sondern auch unmäßig vergrößerten, beginnen erst gegen 1856 langsam dem runden Hut zu weichen. Zuerst trug man diesen mit riesiger Krempel nur auf dem Lande und nannte ihn nach englischen Romankupfern des 18. Jahrhunderts »à la Clarisse Harlowe«, in Berlin auch »Pagenhut«, mit einer Spitze um die Krempe auch »letzter Versuch«! Neben ihm behauptet sich als eleganter Stadthut noch die alte Form, bis sie endlich, zugleich mit der Tonnenkrinoline, um 1860 herum endgültig und für immer (?) verschwindet. Der Schifferhut mit breiter gerader Krempe kommt auf, der Matrosenhut aus Wachstuch, das kleine Deckelchen auf dem Scheitel mit dem Schleier, der nur bis zur Nasenspitze reicht. Dieses Hütchen wird immer winziger, je mehr sich der Chignon vergrößert, und schließlich, als der dicke Haarschopf sich auf dem Wirbel behauptet, rutscht er immer weiter nach vorn auf die Stirn, schließlich bis an

Photographie   *1861*

Photographie   *1860*

die Nasenwurzel. Bindebänder braucht man dazu nicht mehr, hat man doch schon seit 1853 die (damals noch unsichtbare) Hutnadel, dafür trägt man vom Hut oder Chignon ausgehend zwei lange schmale Sammetbänder, die rückwärts bis zur Erde reichen: Bänder zum »Anbändeln«. In Paris nannte man sie 1866 mit gutem Grund: »Suivez moi, jeune homme«!

Schmuck Eine Toilette, die Hals und Arme frei läßt, fordert gebieterisch den Schmuck. Man trug ihn abends, aber auch am Tage und konnte nie zuviel tragen. Als Tagesschmuck galt Bernstein, Bergkristall, venezianische Glasperlen, Haararbeiten, römische Perlen; auch Korallen, seit 1845 die Hochzeit der Duchesse d'Aumale, einer geborenen Prinzessin beider Sizilien, dieses gefällige Produkt der neapolitanischen Industrie in Paris modern gemacht hatte. Man verwendete gern die Effekte der bunten Emaille, gab Armbändern, Broschen u. dergl. die Form breiter Schleifen, wie man den Schmuck überhaupt nicht groß und auffallend genug machen konnte. Mehrere Armbänder an einem Arm zu tragen, war geradezu unerläßlich, die Ohrringe wurden zu langen, mehrgliedrigen Gehängen, die Medaillons zu wahren Plakaten! 1862 trug man in Turin lange Ketten von dicken schwarzen Holzperlen, die man »larmes de Venise« nannte. 1868 begann man, große goldene Kreuze zu tragen, wie denn Adele Spitzeder nie ohne ein solches gesehen wurde! Für den Abendschmuck wählte — wer es konnte und hatte — natürlich Brillanten und Edelsteine. Frau von Bismarck sah in Petersburg 1862 die Kaiserin von Rußland mit Diamanten für 15 Millionen Rubel. Manche Dame, wie die Fürstin Metternich, ließ ihre Diamanten jedes Jahr neu fassen und dieser kostbare Schmuck hatte vor dem anderen nicht nur den größeren Wert, sondern meist in seiner Fassung auch den größeren Geschmack voraus. Wer in der Schatzkammer der Wiener Hofburg die Diademe, Kolliers und Armbänder sah, die mit Hilfe der Diamanten Maria Theresias für die Kaiserin Elisabeth gefaßt wurden, wird sie in ihrer einfachen, die Schönheit der Steine voll zur Geltung bringenden Gestalt auch nach 50 Jahren noch auf der Höhe des guten Geschmacks gefunden haben und die gleiche Beobachtung konnte man machen, als 1887 die französischen Krondiamanten versteigert wurden. Bei dieser Gelegenheit kamen die Lieblingsschmuckstücke der Kaiserin Eugénie noch einmal ans Licht. Da war der berühmte Weinblätterschmuck in Girlanden von mehr als 3000 großen und kleinen Brillanten, der 1172000 Fr. erzielte; da war der Kamm aus 208 großen Brillanten, der für 642000 Fr. verkauft wurde; da war der große Fantasiegürtel aus Perlen, Saphiren, Rubinen, Smaragden, zusammengehalten durch 2400 Brillanten, der 166000 Fr. erbrachte; Meisterwerke von Juwelieren wie Bapst, Krammer, Lemonnier, bei deren Anblick man sich wohl denken konnte, wie bestrickend die bezaubernde Frau im Glanze dieser Juwelen ausgesehen haben muß. Die schöne Spanierin, welche diesen blendenden Reichtum am lieb-

1861   *Photographie*

sten auf weißen Tüllkleidern etalierte, konnte es auch wagen, ihre Diademe, das wunderbare russische von 1200 Brillanten, welches 180000 Fr. erzielte, das griechische in Mäanderform u. a. auf dem glatten Scheitel zu tragen, eine Mode, welche ihr auch von solchen nachgeahmt wurde, denen sie nicht stand.

Daß es, wenn Edelsteine Mode sind, nicht ohne Protzerei und Ungeschmack abgehen kann, ist nur selbstverständlich. Moltke beobachtet 1856 beim Drawingroom der Königin Lady Westminster mit Diamanten, die in Größe und Schliff wie Kronleuchter-Kristalle aussehen; 1869 trägt die Herzogin von Mouchy (dieselbe, die das amüsante Abenteuer mit dem Prince of Wales hatte) auf einem Ball für 2 Millionen Brillanten an sich, und die Kokotten versuchen den großen Damen den Rang abzulaufen. Rochefort sah in Baden-Baden Léonide Leblanc bis zu den Ohren mit Diamanten bedeckt, Elisa Musard zeigte sich in einem Kleide, das mit 3000 echten Perlen bestickt war.

Claude Monet, Damen im Garten

Therese Lachmann-Paiva trug zu einem Musselinkleidchen für
37 Fr. Perlen im Werte von einer halben Million, 1857 hatte
sie auf einem Balle für 2 Millionen Perlen und Edelsteine an-
gelegt. Edmond de Goncourt fühlte sich angewidert, als ihm
diese notorische Schöne, als er ihre klotzigen Smaragden bewundert, zur Antwort gibt: »Da trage ich ein Vermögen, das

1856
Les Modes parisiennes

Alfred Stevens, Dame in Rosa

täglich 100 Fr. Zinsen bringen würde.« Berühmt war in Paris
das Perlenkollier der Prinzessin Mathilde, dessen Wert fast
nicht zu schätzen war. Trotzdem wußte eine Dame der Hofgesellschaft die Besitzerin auszustechen. Sie ließ sich, wie Prosper Menière erzählt, ein falsches Kollier machen, das etwa
300—400 Fr. kostete und dazu ein Schloß für 6000 Fr. und
überstrahlte damit den echten Schmuck.
Seit die demokratisierende Tendenz des 19. Jahrhunderts die
Standesunterschiede in der Kleidung je länger je mehr ver-

wischte, besteht der beste Teil der Eleganz bei vornehmen
Herren und Damen in ihrer Wäsche, bei den letzteren zumal
in der Zeit, als eine Fülle weißer Unterröcke zum Besetzen
derselben mit Spitzen Stickereien, à jour Durchbrüchen und
dergl. förmlich herausforderte. Auch in Taschentüchern entfaltete man großen Luxus, denn diese befanden sich damals
nicht, wie ihr Name besagt, in der Tasche, sondern, bei Damen
wenigstens, ständig in der Hand der Besitzerin, so daß Balzac
einmal behauptete, den Charakter einer Frau könne man am

besten aus der Art beurteilen lernen, wie sie ihr Taschentuch handhabe! Da kann es denn nicht wundernehmen, daß Taschentücher 350, 500 Fr. und mehr kosteten, aus Hamburg hört man 1856, daß Taschentücher zu 200 Taler gar keine Seltenheit mehr seien. Ja, die kostbare Ausstattung derselben nahm 1859 noch bedenklich zu, als die Kaiserin Eugénie bei Aufführung von Cendrillon im Gymnase heftig geweint hatte, da mußten alle Damen, die in Paris »dazu« gehörten, ebenfalls hingehen und ihre Tränen mit Tüchlein trocknen, die sich sehen lassen konnten!

Die seit 1860 kurz und kürzer werdenden Röcke lenkten die Aufmerksamkeit dann auch auf die Strümpfe; zugleich mit den bunten Unterröcken kamen da die farbigen Strümpfe auf, als erste die von grauer Seide mit roten Zwickeln, die aber, als die Industrie erst einmal auf dieser Fährte war, rasch durch Muster verdrängt wurden, die weit auffallender waren.

Das genre canaille Von Paris aus beginnt in dieser Zeit überhaupt eine Tendenz zum Auffallenden in Manieren und Kleidung auszugehen, die sich nur aus einer anderen Erscheinung erklären läßt: aus dem öffentlichen Hervortreten der Halbwelt. Unter dem Bürgerkönigtum hatten sich im Gegensatz zur Ehrbarkeit und Gesetztheit des guten Bürgers die leichteren Manieren der jungen Schriftsteller und Künstler, der Studenten und Grisetten, der Bohémiens mit einem Wort soweit Geltung verschafft, daß diese zigeunerhafte Leichtlebigkeit geradezu Mode werden konnte. Die Frau, die in der Bohème den Ton angab, war die Grisette, das Mädchen, das aus Liebe und nur für Liebe liebt und deren Gestalt von Théophile Gautier, von Henry Murger u. a. mit einem verführerischen Schimmer von Poesie umwoben, schnell zur Lieblingsfigur der französischen Literatur wurde. Unter dem zweiten Kaiserreich verdrängt sie die Kokotte, das nur für Geld liebende Weib, und daß dieser Typus in Frankreich auf der Bühne und im Theater der herrschende werden konnte, beweist einmal die tiefe sittliche Fäulnis der Epoche und dann, wie offen vor aller Augen die Halbwelt ihr Wesen treiben mußte. Die Memoiren der Rigolboche, der Céleste Mogador und anderer »dieser Damen« bildeten die Lieblingslektüre der ganzen, halben und viertels Welt, und als der jüngere Dumas im Februar 1852 seine »Kameliendame« im Vaudeville spielen ließ, wurde der Typus der Marguérite Gautier in seiner un-

1860
Les Modes parisiennes

möglichen Sentimentalität geradewegs zur Heroine. 1855 ließ
derselbe Verfasser seine »Halbwelt« folgen, mit der er zum
Taufpaten der Welt, in der man sich nicht langweilt, wurde.
1858 kamen Augiers »Arme Löwinnen«, und warum hätten
die Damen, die sich auf den Brettern, welche die Welt bedeuten, so verherrlicht sahen, sich in der wirklichen Welt noch
ferner mit einem Leben im Verborgenen begnügen sollen?
Das Gewerbe der Liebe hörte auf ein Makel zu sein, im Gegenteil: es galt für eine Ehre, sich mit einer der stadtbekannten
Kokotten öffentlich zu zeigen, sich für sie zu ruinieren, war
ein Ruhm. Zu Tausenden haben die Nanas den Ruin und die
Schande in die Häuser der Bourgeoisie getragen, als sollten
an diesem einen Geschlecht die Sünden ganzer Generationen
gerächt werden.
Ihr Ruhm ging über die Welt dazumal. Mit der gleichen
scheuen Ehrfurcht, mit der man die Namen der großen Sieger,
der Mac Mahon, der Canrobert nannte, sprach man von den
größeren Siegerinnen, von Cora Pearl, der ein deutscher Groß-
herzog jenes berühmte Ehren-Bidet verliehen hatte, massiv von
Silber mit Goldstücken gefüllt; von Blanche de Marconnay, die
einen ganz echten Bourbonen heiratete, von Madame Barucci,

Alfred Stevens, Die Limonade

von Mlle Guerra und hundert anderen. Und das war durchaus
nicht allein in Paris so, Lola Montez, eine verblühte, schlecht
tanzende Spanierin, regiert in Bayern König und Land und
abenteuert, als man sie endlich hinausgeschmissen hat, noch
jahrelang in der Welt umher, in dem vergeblichen Bestreben,
mit Memoiren und Theaterstücken, in denen sie sich selbst
spielt, Aufsehen zu machen. Graf Gustav Chorinsky, aus einer
der vornehmsten Familien Mährens, fällt so hilflos in die Netze

Constantin Guys, Gruppe von Herren und Damen

der Julie von Ebergenyi, einer Kokotte, die ihren Beruf mit
dem schönen Titel der »Stiftsdame« deckt, daß er sich schließlich zum Giftmord fortreißen läßt, zu dem er sie anstiftet, und
er der traurige Held eines der sensationellsten Prozesse des
19. Jahrhunderts wird. Sie gaben in Paris den Ton an, »diese
Damen«: Hortense Schneider, welche die »schöne Helena«, die
»Großherzogin von Gerolstein« kreiert hatte, Madame Térésa,
deren famoses Repertoire: »Rien n'est sacré pour un sappeur«,
»Vénus aux carottes«, »la femme à barbe« eine bekannte Fürstin
aus dem Tingeltangel des Alcazar d'été in die Tuilerien ver-
pflanzte. So gaben sie in der ganzen Welt den Ton an, der
zwar nicht gut, aber schick war. Und ihre Art, die Dinge zu
betrachten und den Männern zu Leibe zu gehen, äußerte sich
zuerst in der Art, wie sie sich trugen. Das »genre canaille« wird

Alfred Stevens, Miß Fauvette

Mode, das Extravagante in Schnitt und Farbe, das Auffallende um jeden Preis, selbst um den des Geschmacks und der Schicklichkeit. So notieren die Goncourts 1866: Der gegenwärtige Schick einer Dame besteht im mauvais genre distingué.

Mit dem exzentrischen Benehmen harmonieren die schreienden Farben, die kecken Schnitte der Kleider, das Halbmännliche in der Tracht, die Herrenpaletots, die Herrenkragen und Krawatten, die Stöcke, welche die Damen sich aneignen! Diese Damen trugen als Taille Uniformfracks von gelbem Sammet mit chinesischen Stickereien, rote Sammetmäntel mit schwarzen Spitzen, schwarze Tüllkleider mit Goldspitzen; sie greifen auf die Caracos der Urgroßmütter zurück und wählen sie von feuerfarbenem Atlas, besetzt mit Riesenstahlknöpfen oder behängt mit geschliffenem Glas, sie gestatten sich Bizarrerien, wie die

1860
Les Modes parisiennes

Miroir parisien   *1864*

Dianataille, deren Ausschnitt eine Schulter bedeckte und die andere freiließ, dabei müssen ihre Haare rot wie ein »Kuhschwanz« und »verteufelt hundemäßig« frisiert sein, am liebsten gleich als gelockter Schoßhund »en toutou frisé« oder »en caniche«.

Man hat auch für diese gewollten und beabsichtigten Geschmacklosigkeiten der Mode die Kaiserin Eugénie verantwortlich gemacht und ihr damit geradezu ein Unrecht zugefügt. Einer Anekdote zufolge soll sogar der Kaiser von Österreich ihr einmal persönlich sein Mißfallen an den fußfreien Kleidern zu verstehen gegeben haben, deren Einführung man ihr zuschrieb. Man erzählt, daß 1867, als bei einer Spazierfahrt in Salzburg die

Whistler, Miß Alexander

Kaiserin Eugénie eben in einer höchst koketten kurzen Robe den Wagen bestiegen hatte und die Kaiserin Elisabeth in langen schleppenden Gewändern sich gerade anschickte, ihr zu folgen, Kaiser Franz Josef zu seiner Gattin gesagt habe: »Gib acht, sonst sieht man Deine Füße.«

Alle, welche die Kaiserin Eugénie gesehen haben, sind einig in ihrem Urteil nicht nur über die bezaubernde Schönheit der Herrscherin, von deren Antlitz, wie Falke so hübsch sagt, der Sonnenschein auszugehen schien, sondern auch über ihre königliche Haltung, ihre Grazie und ihren Geschmack. Sie bevorzugte die milden Farben, Nuancen von Perlgrau, Saphirblau, Mauve, Maisgelb und trug zu ihren Abendtoiletten, die Worth für sie dichten durfte, am liebsten Weiß. Die Roben für den Tag lieferte Laferrière, die Hüte Madame Virot et Lebel, ihr Coiffeur war Leroy und so wenig, wie ihren Schneidern erlaubte sie diesen irgendwelche Extravaganzen. Ihr distinguierter Geschmack war so anerkannt, daß die Königin Augusta von Preußen sich für die Festlichkeiten der Krönung in Königsberg als eine besondere Gunst die Überlassung der Friseurin der Kaiserin erbat!

Die Garderobe der hohen Frau wurde von Mme. Pepa Pollet, einer Tochter des spanischen Generals Narro de Ortega, in einer mustergültigen, geradezu pedantischen Ordnung gehalten. Jedes Kleidungsstück, jeder Putzartikel trug eine Nummer und war in einem Kataloge sorgfältig beschrieben, alle drei bis vier Monate wurde das Überflüssige ausgeschaltet. Auch der Vor-

wurf der Verschwendung, welcher der Kaiserin gemacht wurde,
indem man behauptete, sie trüge keine Toilette öfter als einmal,
ist von Damen ihrer Umgebung entkräftet worden. Sie hat es
damit wohl nicht anders gehalten als [alle Fürstinnen, die viel
zu repräsentieren haben, und wenn sie auf ihre mehrmonatige
Orientreise zur Einweihung des Suezkanals 250 verschiedene

Edouard Manet, Auf dem Balkon   *1869(?)*

Kaiserin Elisabeth von Österreich (Naturaufnahme)

Roben mitnahm, so war das wohl durch den Umfang der ihr bei dieser Gelegenheit zur Pflicht gemachten Repräsentation notwendig. Mme. de la Poèze, welche die Kaiserin auf dieser Fahrt begleitete, nahm nicht weniger als 30 Koffer mit 50 Roben und ebensoviel Hüten mit. Zu jener Zeit gehörte auch für Privatpersonen der häufige Wechsel der Toilette zur Eleganz. Aus Wiesbaden, Baden-Baden und anderen fashionablen Bädern jener Tage hört man oft von Damen, die bei einem Aufenthalt von sechs bis acht Wochen nie zweimal das gleiche Kleid trugen, wie denn auch die nach Compiègne Befohlenen für jeden der acht Tage, die sie blieben, drei verschiedene Toiletten mitnehmen mußten.

Die Kaiserin hat zu den meist geschmähten und verleumdeten Frauen des 19. Jahrhunderts gehört, aber gerade diejenigen ihrer

(Naturaufnahme)

Geschlechtsgenossinnen, welche in der Frauenbewegung stehen,
welche den bevorzugten Platz, den das weibliche Geschlecht
schon ohnehin in der Gesellschaft einnimmt, mit noch mehr
Vorrechten ausstatten wollen, sollten am wenigsten vergessen,
daß Eugénie es war, die als Erste Frauen im öffentlichen Dienst
beschäftigte. Sie begann während ihrer 1866 geführten Regent-
schaft damit, Frauen im Telegraphendienst anstellen zu lasssen!
Wie es damals nicht an solchen gefehlt hat, welche die ohnehin
zur Übertreibung neigende Mode noch extravaganter zu gestalten suchten, so hat es auch nicht an denen gemangelt, welche
ebendiese Mode zu vereinfachen, naturgemäßer zu machen
wünschten. Alle Bestrebungen, die auf eine Reform der Frauen-
kleidung abzielten, haben selbstverständlich mit dem ominösen

1863
Les Modes parisiennes

Korsett begonnen. 1848 hatte man das Burgfrauenkleid, welches das Korsett verdrängen sollte, 1863 trug man griechische Gürtel an seiner Stelle, aber die Unbequemlichkeit, die für die Frau in dem völligen Verzicht auf das Schnürleib liegt, haben diese schüchternen Versuche bald wieder einschlafen lassen. Dr. Bock, der 1853 in der Gartenlaube einen Feldzug gegen die damals gebräuchliche Form des Korsetts eröffnet, verlangt nicht eine völlige Aufgabe desselben, sondern nur eine Reform

Schwind, Bildnis seiner Tochter Anna   1866

nach der Seite der Zweckmäßigkeit, ja, Mrs. Amalie Bloomer in Seneca Falls, Ohio, die 1851 eine neue Frauentracht erfand, verzichtet von vornherein gar nicht auf das Korsett. Die Erfindung dieser Dame beschränkte sich auf die Einführung weiter orientalischer Beinkleider, Verkürzung und Verengerung des Rockes, womit sie indessen wenig Anklang fand. Mrs. Bloomer als smarte Amerikanerin ließ ihre Erfindung zwar mit großem Lärm in London propagieren, es wurden Bloomer- und Anti-Bloomermeetings abgehalten, aber die geringe Anzahl der von ihr Bekehrten verlief sich sofort, als ein Londoner Brauereibesitzer seine sämtlichen Kellnerinnen in Bloomer-Reform kleidete! Ganz wie vor einigen Jahren bei uns das neueste Reformkleid seine Zukunft in dem Augenblick verspielt hatte, als die Malweiber aller Jahrgänge darin herumzuschlampen begannen! Die zweite Frau Emile Olliviers, der in erster Ehe mit Blandine Liszt verbunden war und der 1870 eine so wenig glückliche Rolle spielte, hatte, wie Madame Carette mit einem leisen Anklang von Bosheit berichtet, ebenfalls die Courage, für ihren

Herren-Mode

1867 *Photographie*

Anzug einen ganz persönlichen Stil zu finden. Nach welcher Richtung sie denselben aber entwickelte, wird uns nicht mitgeteilt, vielleicht aus Schonung für die Trägerin; zeugen doch solche persönliche Noten im Anzug der Damen meist von mehr Mut als Geschmack!

Über die Herrenkleidung dieser Epoche ist wenig zu sagen. Der männliche Anzug ist nach Schnitt und Farbe im großen und ganzen derselbe geblieben, der er in der vorhergehenden Epoche war, und der er so ziemlich heute noch ist. Zu dem Frack und dem langen Schoßrock, in den vierziger Jahren »Twine« genannt, gesellt sich seit 1850 noch das Jackett, seit 1867 auch das zweireihige Sakko, dessen Einführung in die Mode später dem Prinzen von Wales zugeschrieben wurde, das aber schon getragen worden ist, als dieser Fürst noch ein kleiner Knabe war. Die Farben der Stoffe sind dunkel, die Muster gestreift, groß oder klein kariert, für Gesellschaften schwarz, nur die Westen bleiben noch eine Weile bunt und werden selbst aus schottischen Tartans gefertigt. Als es aber um 1860 Mode wird, den ganzen Herrenanzug: Rock, Beinkleid und Weste aus einem Stoff und von einer Farbe zu machen, verschwindet die farbige Weste allmählich, um erst eine ganze Generation später wieder aufzutauchen. Man hat in den Schnitten gewechselt, man hat eine Zeitlang die Form der französischen Soldatenhose adoptiert, um die Hüften weit, am Knöchel eng; dann hat man das Beinkleid bis zum Knie anliegend, von da an glockenförmig erweitert getragen, 1853 führte Napoléon III.

112

1863
Les Modes parisiennes

Kaiserin Elisabeth   *(Naturaufnahme)*

bei Hofe die Escarpins wieder ein; man hat die Ausschnitte
an Westen und Röcken tiefer und höher gemacht, die Taillen
um 1860 von enormer Länge geschnitten, die Tendenz aber
geht sichtlich darauf aus, den Mann in erster Linie unauffällig
zu kleiden, er soll und will unpersönlich in der Menge verschwinden. Nur daheim durfte ein Herr Hausröcke von far-
bigem Damast, Sammet, Kaschmir tragen und sie sogar mit
Goldtressen besetzen, sobald er öffentlich erscheint aber, darf
er sich von seinesgleichen nur durch den besseren Schneider
unterscheiden, bei dem er arbeiten läßt; verliert der Herrenanzug dadurch an Effekten, so gewinnt er an Nuancen.
Dieses Gesetz gilt, seit die Herrenmode von England diktiert
wird und schon unter der Restauration und dem Bürgerkönigtum konnte man selbst einem Pariser kein größeres Kompli-

Erzherzogin Elisabeth von Österreich   *(Naturaufnahme)*

ment machen, als wenn man ihn für einen Engländer hielt. Die englische Gesellschaft fordert von dem Gentleman, daß er zu jeder Stunde des Tages »richtig« angezogen ist. »Ich seufze unter der englischen Kleidertyrannei« schreibt Arnold Ruge, »die bei aller scheinbaren Willkür ein wahrer Terrorismus der Schicklichkeit ist.« Die Befolgung dieser ungeschriebenen Gesetze hat damals den in England lebenden Ausländern, selbst den Höchstgestellten, das Leben oft recht schwer gemacht. So schreibt Baron Stockmar in seinen Erinnerungen: »Daß der Prinzgemahl sich nicht ganz orthodox englisch kleidete, nicht ganz orthodox englisch zu Pferde saß, den shake hands nicht ganz orthodox englisch vollzog, blieb selbst für solche, die ihm näher gekommen waren, die ihn kannten und verehrten, nicht

1863
Les Modes parisiennes

Edouard Manet, Konzert im Tuileriengarten unter dem zweiten Kaiserreich 1862

leicht zu überwinden. Ein heller Kopf, hörte man wohl, aber sehen Sie nur, was er für einen Rock anhat.«

Maßgebend für den Schick der Herrentoilette war in den fünfziger Jahren in Paris der Jockei-Klub, derselbe, dessen Mitglieder die Pariser Tannhäuser-Aufführungen 1862 in so eklatanter Weise störten. Er war tonangebend in der Gesellschaft, der er unter anderem das nach ihm benannte Parfüm bescherte, denn Reinlichkeit, welche das Parfümieren überflüssig macht, wurde erst später Mode; er schuf auch jenen Typ des jungen Stutzers, den man sehr bezeichnend »Cocodès« nannte. Neben der Kokotte in ihrer halbmännischen Eleganz stand der »Kokotterich« in seinem halbweibischen Schick, frisiert, geschnürt, parfümiert wie sie, mit denselben zu engen Jäckchen, zu kleinen Hütchen und zu dünnen Stöckchen. Um diese Zeit begannen auch die Herren Armbänder zu tragen, Mme. Carette bemerkte es zum erstenmal am Arm Alexanders II., als der Zar die Kaiserin Eugénie in Schwalbach besuchte. Ganz ins alte Eisen gehörten natürlich die Elegants einer früheren Epoche. So Graf d'Orsay, der einst der fashionablen Welt in Paris und London Gesetze vorgeschrieben hatte. »Dieser alte Bratapfel, diese lächerliche alte Puppe kleidet sich wie sonst kein Mensch«, bemerkt gelegentlich Graf Viel-Castel.

James Tissot, Mutter und Tochter im Park

Claude Monet, Damenporträt   *1866*

Anselm Feuerbach, Bildnis seiner Stiefmutter 1867
Phot. F. Bruckmann, München

Ebenso abfällig äußert sich der gräfliche Tagebuchschreiber über den einst schönen und eleganten Alfred de Vigny: er sieht aus wie ein altes Weib als Mann verkleidet, gemalt und aufgeschwemmt wie ein greiser Engel.

Wie bei den Damen besteht auch bei den Herren der beste Teil der Eleganz in der Wäsche. Man treibt eine Zeitlang großen Luxus mit gestickten Hemden und bezahlt 1856 in Leipzig z. B. das Dutzend solcher mit 96 Taler und mehr. Der Vatermörder und der weiche Hemdkragen mit dem breiten Halstuch weichen erst in den sechziger Jahren dem gesteiften Anknöpfkragen und der schmalen Krawatte unserer Tage. Für den Aufenthalt am Land und an der See beginnen die Herren seit 1850 ganz weiße sogenannte Müller-Anzüge zu tragen, zu deren Anfertigung man Nankin, Foulard, Alpakka nimmt. Man trug zu diesen Sommer-Anzügen gern den unga-

Der Hut rischen Hut, ein Barett von Stroh mit hochstehender Krempe, hinten mit zwei langen flatternden Bändern, zu allen andern

118

August Renoir, Dame im Wald   *1867*

Hagen i. W., Folkwang-Museum

Adolph Menzel, Gottesdienst in der Buchenhalle zu Bad Kösen (Ausschnitt) 1868

Zeiten und Gelegenheiten behauptete der Zylinder seine Herrschaft. Man hat die Formen von Kopf und Krempe natürlich so oft variiert, als die Möglichkeit es überhaupt zuließ, ihn selbst aber hat man um so weniger angetastet, als das Tragen des Zylinder-Hutes in den vierziger und fünfziger Jahren zum Ausdruck der politischen Überzeugung wurde. Heinrich Laube hat es einmal sehr drollig ausgeführt, wie dazumal die Mode der Herrenhüte den herrschenden Grundsätzen der Politik folgte. In je weitere Kreise sich demokratische Anschauungen verbreiteten, je moderner wurde der weiche Filzhut mit der breiten Krempe, je höher 1848 und 1849 die Wogen der Revolution stiegen, je verwogener und verbogener wurde seine Form, als aber die Reaktion ans Ruder kam, trat auch der Zylinder wieder hervor, höher und steifer als je. Der »Carbonari«-Hut machte verdächtig, hat doch selbst Liszt, als er 1853 aus der Schweiz nach Baden kam und einen weichen grauen Filzhut trug, den ihm Wagner geschenkt hatte, deswegen in Karlsruhe Anstände mit der Polizei gehabt.

Ganz die gleichen Phasen machte der Bart durch. Glatt rasiert *Haar und Bart*

119

Miroir parisien 1867

war das [Kennzeichen einer anständigen, staatserhaltenden
Gesinnung, so daß 1846 noch in Preußen Referendaren und
Postbeamten verboten wurde, einen Schnurbart zu tragen;
als Friedrich Hebbel 1847 Bekannten sein Bild sendet, muß
er sich langatmig entschuldigen wegen des Bartes, den es zeigt;
aber, schreibt er, in den großen Städten Deutschlands sei das
jetzt Mode so. Für Ernst Ludwig von Gerlach kommt die
ganze altpreußische Herrlichkeit ins Wanken, als er 1848 den

1868
Le Moniteur de la Mode

1869

Menzel, Meissonier im Atelier

Carolus Duran, Die Dame mit dem Handschuh 1869

Minister Kühlwetter mit einem Schnurrbart bei Hofe sehen
muß! In Italien hatten die kleinen Tyrannen einen Polizei-
krieg gegen den Bart geführt. Der Herzog von Modena ließ
allen Männern, deren Pässe nicht in Ordnung waren, Schnurrbart und Backenbart rasieren. Noch willkürlicher ging es im
Königreich beider Sizilien zu. »Nun ist dem Fremden auch
unverwehrt, spitzen Hut und spitzen Bart zu tragen«, schreibt
Ferdinand Gregorovius 1859, »seitdem die französische Ge-
sandschaft für einen Schimpf Genugtuung verlangt hat, der
einem französischen Untertanen in Neapel widerfuhr. Die
Polizei hatte ihn auf der Straße aufgegriffen und ohne weitere
Umstände in eine Barbierstube gebracht, wo ihm von Staats-
wegen der Bart abrasiert wurde. Neapolitanischen jungen
Leuten begegnet es, daß sie das Verbrechen eines revolutio-

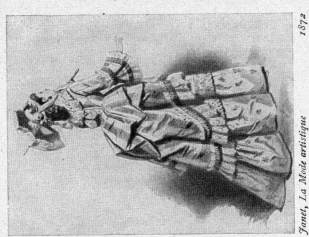

Geyling, Eissport

nären Hutes und Bartes in irgendeinem Verbannungsort, einer
Insel oder einem Castell, abbüßen, wie ein Staatsgefangener in
Puzzuoli selbst mir erzählte.« Im Gefolge der zunehmenden
Unruhen erschien der Bart im Antlitz der Gesinnungstüchtigen,
je wüster, wilder und ungepflegter er war, je freiheitlicher war
die Überzeugung seines Trägers. Als bald darauf die ganz unent-
wegten deutschen, polnischen, russischen, ungarischen Freiheits-
helden im Geschlechtsschmuck ihrer Männlichkeit in England
erschienen, wurden sie, wie Malwida von Meysenbug giftig
erzählt, von den Engländern ungeniert ausgelacht.

Daß eine Bewegung, welche wie die des Jahres 1848 auf das
tiefste und nachhaltigste in alle Verhältnisse des bürgerlichen
Lebens eingriff, nicht ganz ohne Einfluß auf die Mode bleiben
konnte, versteht sich von selbst; das Schwarz-Rot-Gold der

1877

1878

La Mode artistique

1878

Claude Monet, Die Bank

deutschen Trikolore verbreitet sich über Bänder, Schleifen, Krawatten, Broschen, Kokarden, und die Wiener»Republikanärrinnen«, wie ein ungalanter Zeitgenosse sie nennt, verschworen sich, nur noch Hüte in den deutschen Farben zu tragen. Der Wunsch, das Politische und das Nationale zu verschmelzen, ein Moment, dem wir in den Jahren 1813, 14, 15 und früher schon begegneten, macht sich wieder geltend; 1848 erlassen die Frauen Elberfelds einen Aufruf, der dahin zielt, daß die Deutschen in Zukunft nur mehr deutsche Fabrikate tragen sollen, ja die Allgemeine österreichische Zeitung plaidiert für eine deutsche Nationaltracht: Wams, Koller und Barett mit Federn. Richard Wagner schreibt im Juli 1848 seiner Minna aus Wien, wie weit der politische Enthusiasmus sich im Anzug manifestiere, nicht nur, daß die Frauenhüte alle mit dreifarbigen Bändern aufgesteckt sind, der Direktor des Theaters an der Wien hat sogar alle seine Aufwärter von Kopf bis zu Fuß schwarz-rot-gold eingekleidet. Die Überzeugung, daß es möglich sei, gesinnungstüchtig zu sein und sich trotzdem zu kleiden, wie andere anständige Menschen auch, hat sich nur sehr langsam Bahn gebrochen. »Männerstolz vor Königsthronen« hätte damals

unmöglich im Frack prästiert werden können, beschreibt doch
Hübner noch Jahre später einen Ball in den Tuilerien, auf dem
die Deputierten der Linken durch ihre Kleidung Zeugnis von
dem vorgeschrittenen Grad ihrer Gesinnung ablegen.

Das Jahr 1848 hat eine deutsche Nationaltracht so wenig ein-
führen können wie das Jahr 1813; erst ein halbes Jahrhundert
später erleben wir das Entstehen einer solchen, noch dazu einer,
die, ohne amtlich befohlen zu sein, aus dem Innersten der Volks-
seele selbst geboren zu sein scheint; sehen wir doch mit Stolz,
wie der Lodendeutsche das Evangelium der Wäschelosigkeit
aus der stillen Hütte der Alpenvereine auf den Asphalt der
großen Städte, auf das Parkett der Kursäle, an den Strand
der Weltbäder trägt; er wird sich ganz Deutschland erobern
mit der frohen Botschaft vom Flanell, an den man glauben
muß, um ihn nicht zu riechen.

K. L. Schüttner   1843

Die Zersplitterung, Unruhe und Vielgeschäftigkeit des modernen Lebens, über welche die Klagen zu unserer Zeit
immer lauter und immer dringender werden, setzen in
den vierziger Jahren ein, man könnte fast sagen 1848, und verdenken ihr Enstehen dem Zusammenwirken dreier Faktoren,
die im Verein das Leben des einzelnen wie das der Gesamt-
heit von Grund aus geändert haben, der ungeheuren Beschleunigung der schriftlichen Mitteilung und des Personenverkehrs,
und im Verfolg derselben der Entwicklung der periodischen
Presse.

Telegraph Schon unter dem ersten Kaiserreich hatte man es erreicht, sich
mittels des optischen Telegraphen auf große Entfernungen hin
binnen verhältnismäßig kurzer Zeit zu verständigen; 1802 konnte
man von Straßburg Anfragen nach Paris richten und innerhalb 45 Minuten Antwort haben, aber dieses immerhin um-
ständliche Verfahren (die eben erwähnte Strecke benötigte
42 Stationen mit Wärtern!), von dessen Existenz die heute
Lebenden höchstens noch aus dem »Grafen von Monte Christo«
wissen, war doch nur ein Kinderspiel gegen den elektrischen
Telegraphen, der seit 1846 Europa mit dem Netz seiner Drähte
überspannt. Seit dieser Zeit brauchte man nur noch ebenso
viele Minuten, wie früher Tage oder Wochen, um zu erfahren,

Anselm Feuerbach, Im Frühling   *1868*

Berlin, Nationalgalerie

Danhauser, Die Schachpartie

Kaulbach, Gesellschaft bei Fink
　　　　　　Ph. Foltz
　　　　　　Fernley

Borum　*Stange*
　　　　Morgenstern
Kaufmann

was in allen Teilen der Alten Welt vor sich gegangen war, eine
Gunst der Umstände, die auf die Entwicklung des Handels und
des Börsenspiels wie eine Hetzpeitsche gewirkt hat. Als Staaten
und Völker Europas so in innigsten Verkehr getreten waren,
unternahmen es kühnere Geister, eine Verbindung auch mit der
Neuen Welt herzustellen; seit dem Ende der fünfziger Jahre
beginnt man mit dem Legen unterseeischer Kabellinien, die
nach vielen gescheiterten Versuchen endlich 1864 Amerika einen
nur noch Minuten dauernden Gedankenaustausch mit der Alten
Welt ermöglichen. Das Telegraphieren wurde so rasch zur Gewohnheit, daß man es zum Gesellschaftsspiel macht; auf einem
Diner der russischen Fürstin Sophie P** 1863 in Paris senden
die internationalen Teilnehmer vor der Suppe Depeschen, ein
jeder in seine Heimat und empfangen die Antworten, als sie
beim Dessert sitzen.

Eisenbahn Ein sehr viel langsameres Tempo nahm die Entwicklung der
Eisenbahnen, gab es doch z. B. 1852 in ganz Frankreich nicht
mehr als 4000 km Bahnen und diese beschränkten sich darauf,

1868
Petit Courrier des Dames

Daumier, Die Lokalbahn

ihre Trace nur in völlig ebenem Terrain zu ziehen; die erste
Gebirgsbahn führte 1854 über den Semmering; erst 1867 nahm
die Eisenbahn den Brenner, 1871 den Mont Cenis. Das Un-
gewohnte des neuen Beförderungsmittels erlaubte zu Beginn
auch nur Fahrgeschwindigkeiten, über die wir heute lächeln;
schreibt nicht Moltke 1841 ganz glücklich an seine Frau, daß
man in Zukunft von Hamburg bis Berlin nur noch neun Stunden
brauchen werde, und ist derselbe nicht 1846 sehr zufrieden, von
Paris nach Brüssel nicht länger als zwölf Stunden unterwegs
zu sein!

Anfangs fehlte den Reisenden jede Bequemlichkeit, die Wagen
waren teilweise offen, und gegen Ruß und Funken aus der
Lokomotive mußte man sich mit besonderen Brillen aus Fenster-
glas schützen — von Komfort für das Allzumenschliche ganz zu
geschweigen! Wer da (wie Bismarck 1852 Herrn von Krusen-
stern mit Familie) kleine Kinder unterwegs traf, der konnte
etwas von den Freuden langer Bahnfahrten erzählen! Schlaf-
wagen wurden in Europa zuerst 1857 auf der Linie Paris-

Baron von Knaller, Fashionable Eisesser (Kranzlerecke 1848)

Orleans eingeführt; wie man an Durchgangs-, Speise-, Schlaf-
wagen ja überhaupt erst denken konnte, als das Bahnnetz von
Nord nach Süd, Ost nach West geschlossen war und das hat
zum Teil bis in die sechziger Jahre gedauert. Solange man
noch weite Reisen mittels Eisenbahn und Postwagen zurück-
legen mußte, waren Annehmlichkeit und Schnelligkeit, wenigstens für unsere verwöhnten Begriffe, nur sehr relativ. Moltke
braucht z. B. von Rom nach Potsdam 1846 noch sieben Tage
sieben Stunden; sein Bruder Ludwig 1845 von Kiel nach Nürn-
berg dreimal 24 Stunden und Jakob Falke, der von Ratzeburg
nach Erlangen will, muß bei der kombinierten Reise mittels
Wagen, Schiff, Post und Eisenbahn drei Tage auf das Elb-
schiff warten.
Ja, noch im nächsten Jahrzehnt ist es nur wenig besser geworden, Richard Wagner schreibt seiner Minna 1856 voller
Entsetzen über die Strapazen der kombinierten Reise von
Baden nach Genf, und Gabriele von Bülow ist 1857 von Rom
nach Berlin noch beinahe zwei Wochen unterwegs, eine Pein,
wenn man bedenkt, daß sie an das Sterbebett einer geliebten
Tochter eilt.
Das Reisen mit der Eisenbahn geht auch so langsam in das
Bewußtsein über, daß noch 1851 bei der Berechnung der Reise-
kosten der preußischen Landtagsabgeordneten die Existenz der

Eisenbahn völlig ignoriert werden kann! Für den strategischen
Aufmarsch der Armee im Kriegsfalle hat erst Roon 1860 die
Eisenbahnen berücksichtigt.

Der briefliche Verkehr konnte naturgemäß keine schnellere *Korrespondenz*
Entwicklung nehmen, als die Beförderungsmittel selbst. Molt-
kes Briefe an seine Frau reisen 1846 von Paris nach Holstein
14 Tage, ja, selbst 1856 von Berlin nach London noch 10 Tage
und wie teuer ist das Porto! Richard Wagner kosten 1842 die
Briefe seiner Frau von Dresden nach Paris 16 Groschen; Theo-
dor Fontane zahlt 1856 noch sieben Groschen Porto von Berlin
nach London; kein Wunder, daß man bis in die sechziger
Jahre hinein seine Briefe lieber durch Gelegenheit als mit der
Post beförderte; erst 1868 preist es Moltke als einen Segen
des Norddeutschen Bundes, daß man aus dem Schwarzwald
bis nach Lübeck für einen Silbergroschen schreiben könne!
Zu der Höhe des Portos kam die Unsicherheit der Bestellung.
Es ist bekannt, daß die Postzensur damals als etwas so Natür-
liches galt, daß, wenn z. B. ein Kabinett dem andern irgend
eine Idee nicht direkt mitteilen wollte, es seinem Gesandten
durch die Post schrieb; daß solche Briefe vorher gelesen wurden,
war so selbstverständlich, daß die Idee nunmehr dem fremden
Minister für insinuiert galt! So machte es König Leopold von
Belgien nach seinem eigenen Geständnis mit dem Berliner Kabinett. Alle Briefe aus jenen Jahren sind auch deswegen voll

Cte chaloupe!   *Aus: Gavarni, Les petits mordent*

halbverhüllter Andeutungen; die Gräfin Maria Potocka schreibt
der Fürstin Carolyne Wittgenstein ihre Ansichten nur mit
halben Worten. »Sie wissen, daß alle Briefe gelesen werden«,
schreibt der König von Belgien an die Königin Viktoria von
England. Die Herzogin von Dino mag in Nizza keine Briefe
schreiben, denn in Sardinien gäbe es nur zuviel schwarze Kabinette. Leopold und Ludwig von Gerlach korrespondieren in
einer Art Geheimsprache; Malwida von Meysenbug beschwert
sich, daß 1850 in Berlin alle Briefe auf der Polizei gelesen werden, und mit dem köstlichen Freimut, der nur ihm eigen war,
schreibt Bismarck 1851 aus Frankfurt an Frau von Puttkammer
über den »Schafskopf, der diesen Brief erbrechen wird«.
Die Korrespondenzen wurden nicht nur vor den berechtigten

Aus Dickens Bleakhouse: The dancing hour v. Browne

Musique en familie

Empfängern von anderen gelesen, sondern oft genug auch behalten; der Großfürst Konstantin von Rußland rühmte sich, die umfangreichste Sammlung konfiszierter Briefe zu besitzen! Hinckeldey, der Polizeipräsident von Berlin, bestach die Domestiken von Niebuhr und dem Generaladjutanten von Gerlach, um Abschriften ihrer Korrespondenzen zu erhalten — und wenn Friedrich Hebbel an Ludwig Gurlitt und Bismarck 1847 seiner Frau schreibt, sie möchten ihre Briefe nicht frei machen, weil frankierte gestohlen würden, so fand diese Warnung eine sehr unerwartete Bestätigung, als man 1862 in Wien in dem Postbeamten Karl Kallab einen Briefmarder erwischte, der Tausende und Tausende von Briefschaften unterschlagen hatte. 1845 finden wir die erste, noch halb ironische Mitteilung, daß in England sogar abgestempelte Briefmarken gesammelt würden, und im gleichen Jahre begegnen wir auch erstmals in den Spalten der Zeitungen jener famosen Ente, die heute noch nicht gestorben ist, daß sich nämlich irgend jemand, am liebsten ein armer Lehrer, durch das Sammeln einer Million abgestempelter Marken ein Klavier verschafft habe!

Zeitungen Der Nachrichtendienst, welcher gegen früher so ungemein beschleunigt erschien, ist in erster Linie der Presse zugute ge-

Viktor Paul Mohn, Ausschnitt aus: Sonntagmorgen im Frühling
Berlin, Nationalgalerie

Lami, La loge de l'Opéra

kommen; das Zeitungswesen hat dadurch, unterstützt von dem
ungeheuren politischen Bedürfnis des Jahres 1848, einen Aufschwung genommen, der auch heute, 60 Jahre später, seinen
Höhepunkt noch lange nicht erreicht hat. Der Vormärz hatte
in Österreich nur 26 Tageszeitungen gekannt, im Jahre 1849
erschienen dort bereits 364, in Deutschland über 1500 politische
Blätter, und wer die Masse des Lesestoffs berücksichtigt, die
damit ganz plötzlich und unversehens in ein politisch unreifes
Publikum geworfen wurde, der wird die Verwirrung begreifen,
die notwendigerweise in den Köpfen entstehen mußte, eine
Verwirrung, die um so nachhaltiger wirkte, als die Köpfe der
Schreiber meist nicht klarer waren, als die der Leser. Wo hätte
auch auf einmal die genügende Anzahl gut qualifizierter Autoren
herkommen sollen, die imstande gewesen wären, einen Tages-
bedarf von diesem Umfang in einwandfreier Weise herzustellen?
Das wäre bei dieser Sintflut eine Unmöglichkeit gewesen und
ist es ja mit jedem Tage mehr geworden und man versteht
es, wenn der solide Bürger, der sich durch namenlose Jour-
nalisten Tag für Tag in seinen Gefühlen verletzt, in seinen
Interessen bedroht sah, dem ganzen Stand das größte Mißtrauen entgegenbrachte und eine Verachtung bezeugte, die

— *Paméla! ta mère a été ma femme de chambre!*

Aus: *Gavarni, Les Lorettes viellies*

sich gelegentlich zu dem geflügelten Wort verdichtete: ein
Journalist ist ein Mann, der seinen Beruf verfehlt hat! Und
wenn im Getriebe der Zeitungen alles zur Parteisache wird,
wenn nicht nur die Geschichte des Tages, wenn Wissenschaft,
Kunst, Musik, Literatur nur noch vom Standpunkt einer
vorgefaßten Meinung aus beurteilt werden, wenn das Fünk-
chen Wahrheit unter einem Wust absichtlicher Entstellung,
bewußter Lüge und geschickter Verdrehung der Tatsachen
begraben wird, wer wollte es dann Richard Wagner, der am
meisten und am längsten durch die Presse gelitten hat, ver-
übeln, wenn er schreibt: in den Journalen schreiben ja immer
nur die Lumpen! Man kann so ziemlich nach der Lektüre

— C'est grave à penser, chère Madame, mais la seule chose que les maris de beaucoup d'honnêtes femmes puissent trouver chez ces drolesses et non dans le ménage . . . . c'est d'être dupe.

Gavarni aus: *Les maris me font toujours rire*

jeder Zeitung sagen, was Marschall Soult über einen von ihm selbst verfaßten Schlachtbericht äußerte: »Man könnte wirklich meinen, daß dies alles wahr sei!« und versteht dann aus diesem Gefühl heraus, daß gleichzeitig mit der staunenswerten Entfaltung der Presse jene Spottblätter entstanden, die, wie der Punch seit 1841, die Fliegenden Blätter seit 1845, der Kladderadatsch seit 1848 den Zeitgenossen im Hohlspiegel die gemißhandelte Wahrheit zeigen, die neben die verrenkte Lüge der Tagespresse die verzerrte Wahrheit der Satire stellen. Sie erst finden in dem erlösenden Lachen das letzte befreiende Wort, 1848 der Kladderadatsch, 1908 der Simplizissimus.

Corot, Gesellschaftsbild

Den gleichen, wenn nicht größeren Vorteil wie die Presse zog der Handel aus der Entwicklung des Verkehrs und wenn schon Louis Philipp und seinen Ministern die Staatskunst ein Geschäft gewesen, dessen geschickte Handhabung beträchtliche Profite abwarf, so wird seit der Verbreitung des elektrischen Telegraphen die Politik überhaupt nur noch wegen des Börsenspiels getrieben. Überall stecken die großen Finanzleute ihre Hände in die Staatsgeschäfte, einfache Angelegenheiten werden von den Diplomaten verwickelt, klare Tatsachen umnebelt. Reden werden gehalten, Telegramme gewechselt, Artikel geschrieben zu dem einzigen Zweck einer Hausse oder Baisse der Papiere. Für die Staatsmänner wird die Börse der Pulsometer der öffentlichen Meinung; Baron Hübner verfolgt ihre Bewegungen mit aufmerksamem Blick, 1855 stirbt Kaiser Nikolaus, Gott sei Dank, ist doch die französische Rente plötzlich um 6 Fr. gestiegen; Moltke zieht 1857 aus dem unerschütterten Kurs der preußischen Papiere den richtigen Rückschluß auf das öffentliche Ansehen dieses Staates.

Den reellen Aufschwung der Geschäfte begleitet eine wilde Spekulation in Papieren, deren Werte teils rein fiktiv, teils gewaltig übertrieben Kartenhäusern gleichen, die der leiseste

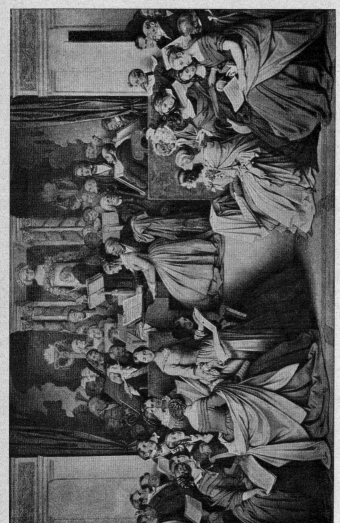

Schwind, Symphonie   *Phot. Union, München*   *1848—49*

Dorner, Frau Mathilde Wesendonck
Photographie-Verlag von F. Bruckmann, München

Windhauch einstürzen läßt. Riesenunternehmungen, wie Bahnbauten durch halbe Weltteile, zeitigen Gründungen, wie den berühmten Crédit mobilier der Gebrüder Péreire in Paris, den man in den fünfziger Jahren die größte Spielhölle von Europa nannte, treiben Spekulanten an die Oberfläche, die wie Jules Mirès in Paris, Stroussberg in Berlin jahrelang mit Millionen jonglieren, bis eines schönen Tages Staatsanleihen und Bahnobligationen samt Couponbogen und Talons plötzlich wieder sind, was sie waren: ein Stück Papier! Dann ist der Wohlstand von Hunderten und Tausenden vernichtet, über die ruinierten Existenzen hinweg aber drängen andere sich zum »Giftbaum« der Börse, von dem allein schnell und ohne Mühe große Vermögen zu pflücken sind.

Will. Wild, Am Bassin im Tuileriengarten (Detail)

London, South Kensington-Museum

Die Jagd nach dem Glück, d. h. nach großem Geldgewinn, ist erst seit der Mitte des 19. Jahrhunderts der bestimmende Grundzug der Gesellschaft geworden. Erst die Entfaltung des Verkehrs, die Beschleunigung der Mitteilung emanzipierten den Kaufmann von Raum und Zeit und schufen im Verein mit den Fortschritten der Technik jene Chancen von Gewinn, für die es kein Unmöglich gibt. Wie eine Krankheit bemächtigt sich der Durst nach Gold der Menschheit. Seit sich die Kunde von den Goldfeldern Kaliforniens verbreitet, ziehen die Abenteurer aus aller Herren Länder in Scharen hinüber; in Hamburg rüstet man 1849 Extraschiffe aus, auf denen man für 130 Taler Passage nach dem Lande gelangen kann, wo das blanke Gold auf der Straße liegen soll! Man zahlt nur die Hinfahrt — zurück kommen ja eh die wenigsten.

Blendend und betörend wie nie zuvor strahlt der Schimmer des Goldes und betäubt Pflicht und Gewissen; der oberste Richter Frankreichs, der Präsident des Kassationshof Teste läßt sich mit 94000 Fr. bestechen, der österreichische Feldmarschall Freiherr von Eynatten fällt in die Netze der jüdischen Armeelieferanten Hermann Jung und Moses Basevi und betrügt in ihrer Gesellschaft Staat und Armee; selbst Einrichtungen der Wohlfahrt und Gemeinnützigkeit werden zu mühelosem Geldgewinn ausgebeutet. Wer entsänne sich nicht aus der Geschichte jener Tage mit Vergnügen des Schneiders Tomaschek in Berlin, der im November 1848 sein Plättbrett begraben ließ, um 10000 Taler Lebensversicherung zu erheben!, ein harmloses Vergehen, betrachtet man dagegen die Engländer William Palmer und David Wainwright, die 1856 in England ihre Angehörigen vergifteten, um den gleichen Zweck zu erreichen, oder Frau Therese Braun, die 1857 in Staatz ihre eigene bildschöne 16jährige Tochter umbrachte, um die 5000 fl. ihrer Police zu erhalten!

Gegen solche Missetaten treten die gleichzeitigen Brandstiftungen völlig zurück. Ungewöhnliches Aufsehen machte damals nur der Brand des Grimselhospizes, das der Pächter Peter Zybach am 5. November 1852 anstecken ließ, und der des Schlosses Meder bei Koburg, das sein Besitzer, ein Herr von Kienbusch, selbst anzündete, um den Betrag der Feuerversicherung zu empfangen. Und wenn Vornehme und Wohlhabende nicht genug haben und nach schneller Bereicherung

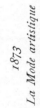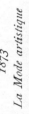

Straßentoilette

Besuchstoilette

1873
La Mode artistique

Schwind, Gesellschaftsspiel

Martineau, Der letzte Tag im alten Haus   *1862*

trachten, wer wollte es da den Armen verdenken, wenn sie
auch noch mehr haben wollen?! 1869 eröffnet Adele Spitzeder
in München ihre Dachauer Bank, nur zum Besten der Bauern
und des gemeinen Volkes, und da sie 96 Proz. Zinsen gibt (!!),
kann sie schon nach fünf Jahren mit einem Defizit von zehn
Millionen Gulden bankerott machen; die Millionen, welche da
verloren gingen hatten die Geschädigten kreuzerweise zusam-
mensparen müssen!
Während die Masse das goldene Kalb umtanzt, leichtem Erwerb
und raschem Genuß nachjagend, suchen die Ernsten nach dem
Bleibenden im Wechsel und die gleiche Zeit, die im Materialis-
mus der Moleschott, Büchner und Karl Vogt den Köhlerglauben
verdrängt zu haben meint, erlebt das Erstarken der christlichen
Hauptkirchen, die eben noch in hundert Sekten auseinander-
zufallen schienen. Wie hätten diejenigen, die eben noch in Ronge
den neuen Luther begrüßt, im Deutschkatholizismus die Todes-
krankheit der römischen Kirche gesehen hatten, glauben können,
daß derselbe Pius IX., dem bei seiner Thronbesteigung das junge
Italien als seinem Abgott zugejubelt hatte, welcher Papst wurde,

Boudin, Trouville

10

nicht: trotz, sondern: weil er liberal war, daß eben dieser seine Kirche zu beispiellosen Triumphen führen werde!?

Das Jahr 1848 bedeutet für das Ansehen der staatlichen Autorität geradezu eine Katastrophe, von dem in dieser Zeit erlittenen Niederbruch — um so gründlicher, als er selbstverschuldet war! — hat sie sich nie wieder erholt. Der Staat war gefallen, das Bedürfnis nach Unterordnnng aber den Menschen geblieben, und wo hätten die, welche eines Haltes benötigten, einen stärkeren finden können, als in der Kirche! Lange Friedenszeiten haben der Kirche stets geschadet und sie durch den nachlassenden Eifer ihrer Gläubigen geschwächt, aus Kämpfen ist sie dagegen immer gestärkt hervorgegangen, ja, um so siegreicher, je heftiger der Angriff gegen sie gewesen war. Das Jahr 1848, das den Papst aus Rom fliehen sah, hat die ungeheuren Kräfte der katholischen Kirche, die es tödlich zu treffen meinte, zu neuem Leben erweckt. Unterstützt und getragen von dem einmütigen Gefühl ihrer Bekenner, bei dem Zusammenbruch aller Verhältnisse nur in der Kirche ein Bleibendes finden zu können, hat das Leben innerhalb der Kirche eine Wärme gewonnen, die nach langer Stagnation die Anhänger begeisterte, die Gegner einschüchterte, die Zweifelnden fortriß.

In England, das seit der Pulververschwörung in jedem Katholiken ipso facto einen Landesverräter sah, gewinnt die römische Kirche eine Macht und ein Ansehen, die Parlament und Universitäten alarmiert, die aber trotzdem Pius IX. erlaubte, jahrhundertelang verwaist gewesene Bistümer neu zu besetzen. In Frankreich rütteln Montalembert, Louis Veuillot u. a. die Massen aus ihrer Gleichgültigkeit, für deren neu belebte Andacht seit 1858 Lourdes auch einen neuen Brennpunkt bildet, und der rettenden Kirche übergibt der Staat mit seinen Schulen auch seine Zukunft.

Wie ein loderndes Feuer durchbricht der neubelebte Glaube die Asche, mit der die zu lange Mode gewesene Toleranz die Herzen bedeckt hatte, die Kirche besinnt sich auf ihre Kraft; 1854 schon kann der Papst das Dogma der Unbefleckten Empfängnis verkünden, 1864 setzt er sich in Syllabus und Enzyklika mit den Ansprüchen der modernen Welt auseinander, 1870 endlich krönt er sein Werk: unter dem Jubel der Gläubigen und dem feindseligen Trotz der Ungläubigen dogmatisiert er die

1866

Monet, Picknick   *(Coll. Durand-Ruel, Paris)*

Böttcher, Sommernacht am Rhein

eigene Unfehlbarkeit in Glaubenssachen. Das alles, während sein
Besitz ihm Stück für Stück entrissen, sein Tun von dem Zeitungs-
gebelfer der atheistischen Preßmeute auf dem ganzen Erdball
gebrandmarkt wird! Das war die ecclesia triumphans der Ver-
heißung und durch ihre weitgeöffneten Tore zogen in Scharen
neue Bekenner. Nach Tausenden zählen die Konvertiten, die
in Deutschland, England, Rußland zur alten Kirche zurück-
kehren. Sie kehrten zurück zu ihr, die einst die Väter verlassen, und die Kirche, die sie liebend aufnahm, gab ihnen,
was sie gesucht: den Frieden der nicht von dieser Welt ist.
Die Prinzessin Olga Narischkin wird barmherzige Schwester
und opfert ihr Leben im Dienst der Kranken, die Gräfin Hahn-
Hahn verzichtet auf Ehr und Ruhm und geht ins Kloster, in
dem sie dreißig lange Jahre den Werken praktischer Nächsten-
liebe widmet, die Fürstin Carolyne Wittgenstein verzichtet auf
das Glück ihres Lebens, um sich ganz dem Dienst der Kirche
zu weihen.
Und nicht nur die Freunde dienen ihr, auch ihre Feinde macht
der HErr zum Schemel ihrer Füße — als Bismarck den Kultur-

Schwind, Schubertabend bei Ritter von Spaun

kampf beginnt, um den Katholizismus tödlich zu treffen, da ist
er es, der ganz gegen seinen Willen der Kirche eine politische
Macht gibt, die sie vorher nicht besessen, eine Macht, unbesieg-
licher als die des großen Gewaltmenschen, eine Macht der Idee,
die Richter und Polizei nicht erreichen.

Der große und dauernde Vorteil, den die katholische Kirche
aus den Stürmen der Revolutionsjahre zog, blieb der protestantischen naturgemäß versagt; kann man jene einem festgefügten
Bau vergleichen, dem kein Steinchen zu entnehmen ist, ohne
ihn zu schädigen, so gleicht diese einem Haufen Rohmaterial,
aus dem jeder nach Belieben nimmt, was ihm paßt; jene ist
einheitlich an Haupt und Gliedern, das Bekenntnis dieser hat
nur ein Gemeinsames: den Protest gegen die römische Kirche.
Daß es an ernsten Bestrebungen nicht gefehlt hat, der evan-
gelischen Kirche etwas von dem festen Gefüge der katholischen
zu geben, lehren uns eingehend die Denkwürdigkeiten der Brüder
von Gerlach; aber wer hätte es unternehmen wollen, unter
einem Dach die Pietisten Knaakscher Richtung, den Pantheismus
Bunsens und die Protestantenvereinler Schenkelscher Obser-
vanz zu vereinen? Das Gute, was seit jenen Tagen auch der
protestantischen Kirche Deutschlands blieb, ist die Richtung
auf die innere Mission, die sie genommen hat, ein praktischer
Segen in all der theoretischen Zersplitterung.

Aberglauben Die Welt schied sich offen in Christen und Nichtchristen;
Gläubige und Ungläubige aber verband doch eine Sehnsucht:
der Wunsch nach dem Übersinnlichen und seinem augenfälligen
Beweis, dem Wunder! In dem Augenblick, in dem David Fried-
rich Strauß, L. Feuerbach u. a. aus dem Hause der Aufge-
klärten den Glauben zur Vordertür hinauswerfen, spaziert der
Aberglaube zur Hintertür herein und beglückt seine Anhänger
mit allen Wundern einer vierten Dimension. Spiritismus und
Magnetismus mit Tischrücken und Klopfgeistern erobern die
Gesellschaft und die Gläubigen empfangen von seligen Geistern
Offenbarungen von unbegreiflicher Banalität? In Paris hatte
in den vierziger Jahren Mme. Jules de Contades, die spätere
Herzogin von Luynes den Somnambulismus salonfähig gemacht,
1853 brachte Lord Byrons letzte Liebe, die Marchesa Guiccioli,
jetzt Marquise de Boissy, das Tischrücken in die Mode.

Wehrlos verfällt die gute Gesellschaft wie die schlechte dem
Humbug geschickter Faiseure. Der Amerikaner Home bringt

Albert von Keller, Damenbildnis   *1874*

Im Besitz von Herrn Ed. Guggenheimer, München

Charles Keene, Der rücksichtsvolle Kutscher   Punch 1872

die Hofgesellschaft der Tuilerien derart in seinen Bann, daß
er schließlich mit Gewalt außer Landes gebracht werden muß,
um seinen Einfluß zu brechen. Somnambulen und Medien treiben
allerorten ihr zweideutiges Wesen und mit ihnen wetteifern
die Schläulinge, welche ihrem Tun den Schein der Frömmig-
keit zu geben wissen. Das Wundermädchen Luise Braun lockt
mit Hilfe ihres Engels Jonathum 1848 ganz Berlin in die Schiffer-
straße und heilt durch ihr Gebet alle, die an sie glauben wollen,
bis sie schließlich, nachdem sie einem armen Feldwebel seine
Moneten talerweise für das Himmelreich abgeknöpft hat, un-
schädlich gemacht wird. Der 15jährige Prophet von Virnheim,
Peter Träger, bringt zur gleichen Zeit durch seine Entzückungen
ganz Hessen in Aufruhr und erschlägt kurz darauf einen Bauern,
um dessen alte reiche Frau zu heiraten. Eine stigmatisierte
Bauerndirne in Oberbayern erzeugte durch bloßes Gebet die
Hostie auf ihrer Zunge und betört selbst den alten Ringseis,
bis sie sich, des Betens überdrüssig, einem schlechten Lebens-
wandel ergibt; ja selbst eine Königin, Isabella von Spanien,
folgt den Ratschlägen ihrer Wundernonne Patrocinio, bis sie
darüber glücklich Krone und Reich verloren hat!
Die Eisenbahnen und Dampfschiffe, welche den Ortswechsel *Reisen*

153

so außerordentlich erleichterten, haben dem Geschmack am Reisen großen Vorschub geleistet und das Reisen zum Vergnügen auch der Mittelklasse, die bis dahin davon ausgeschlossen war, zugänglich gemacht. 1849 beginnt Cook seine Gesellschaftsreisen London-Paris und Aufenthalt von einer Woche für £ 8 zu veranstalten, und ein immenser Erfolg lohnt seine Spekulation. Dem großen Reisepublikum folgt dann sofort der Gauner, der von der Liebhaberei der reichen müßigen Leute lebt, wie der Prinz Leo von Armenien, den Polizirat Stieber in Berlin entlarvt. Ein polnischer Jude, Israel Gurin, reist als »Fürst Obelinski« auf der großen Heerstraße der Grand-Hotels und Kurhäuser aus einem fremden Koffer in den andern, genau wie dreißig Jahre später der famose Fürst Lahovary. Dieser Verkehr, der die Reichen und die, welche es werden oder scheinen möchten, in der Welt herumtreibt, begünstigt auch ganz wesentlich das Zustandekommen einer neuen Gesellschaft, indem er nicht nur die verschiedenen Klassen, sondern auch die verschiedenen Nationalitäten durcheinander mischen hilft. Auf Reisen und in den Kurorten trafen sich alle Schichten der Gesellschaft in einem Verkehr, dessen Ungezwungenheit gegenseitige Gleichheit voraussetzt. Auf dem neutralen Boden von Baden-Baden, Wiesbaden, Biarritz, Spa mischten sich die vornehmen Leute und die Reichen, was damals durchaus noch nicht gleich war; die Mitglieder der Halbwelt und die Fremden geben dieser Vereinigung den Hautgout, welcher die Gesellschaft jener ganzen Epoche umwittert. Wer die Erinnerungen, die Tagebücher und Briefwechsel jener Zeit durchblättert, wird erstaunt sein, im Vordergrund stets auf Namen von Ausländern zu stoßen, nicht nur im Verkehr der Diplomaten, sondern auch in dem der Künstler, Literaten, Virtuosen und Banausen. In den fünfziger Jahren fällt es Baron Hübner auf, daß man in Pariser Salons kaum je französische Damen trifft, wohl aber Italienerinnen, Ungarinnen, Polinnen, Russinnen und zumal am Hofe der Tuilerien besteht die Hälfte der eleganten Welt aus mehr oder weniger distinguierten Fremden. Als dann Eugénie den Thron bestiegen, kommen noch Spanier und spanische Südamerikaner hinzu, der Typ des Rastaquouère erscheint mit seinen protzigen Diamanten und Manieren. Dieser Einbruch der Fremden in die Pariser gute Gesellschaft ist damals mißliebig genug aufgefallen und die allerorten gemachte Beobach-

tung, daß die Franzosen, die
bis dahin Meister des guten
Tons gewesen waren, durchaus aufgehört hatten vor-
bildlich zu sein, wurde von
ihnen selbst dem fremden
Element zur Last gelegt. Ein
1870 erschienener Artikel des
Constitutionnel, von dem
man allgemein annahm, die
Kaiserin Eugénie habe ihn
inspiriert, ging so weit, die
Fürstin Metternich und Frau
von Rimskij-Korsakow für
den in den Pariser Salons
eingerissenen ordinären Ton
verantwortlich zu machen.
Das war eine Grobheit, die

Ed. Manet, Nana

weit über das Ziel hinausschoß. Der Ton der französischen *Ton und Manieren*
Gesellschaft war schlecht, weil die Kokotte in ihr dominierte,
und wenn dieser schlechte Ton diejenigen ansteckte, die in
dieser Gesellschaft lebten, so hat er auch jene angesteckt, die
gewohnt waren in ihr ein Vorbild zu sehen. 1851 beschwert
sich Bismarck über die Frankfurter Damen, ihre dreisten Manieren, die Liederlichkeit, die sie in ihrer Art und Weise an
den Tag legen, und ihre Unterhaltung die nur an Zweideutig-
keiten Gefallen findet. Die Gesellschaft glich einer Glocke, zu
deren Guß das Material nicht im rechten Verhältnis gemischt
ist, angeschlagen klingt sie dann unrein, in diesem Sinne kann
man sagen, war die Gesellschaft jener Jahrzehnte auf Disso-
nanzen gestimmt.

Der bürgerliche Zug, welcher in die Anschauungen der Ge- *Geselligkeit*
sellschaft gedrungen war und der mit seiner Überschätzung
des Wissens, zumal der toten Gelehrsamkeit, die im praktischen
Leben zu nichts nützte, dazu führte, in jedem Professor einen
großen Mann zu sehen, weht mit seiner Schulstubenluft auch
durch die Geselligkeit. Es wird Mode, seine Salons mit berühmten Leuten zu garnieren, sie seien so langweilig und unma-
nierlich wie sie wollen, Friedrich Wilhelm IV., Maximilian II.,
Napoleon III. ziehen Dichter und Gelehrte in ihre Kreise; die

"By the bye, Lady Crowder, have you met the Partingtons lately?"
"Not for an age! They were at my ball last night. But I didn't see them. By the way, did you happen to be there, Captain Smithe?"
"O, yes! enjoyed myself immensely!"
"So glad!"

Du Maurier (Punch 1873)

»Symposien« Max II., zu denen Liebig, Geibel, Heyse, Boden-
stedt und andere »Nordlichter« zugezogen wurden, haben lite-
rarischen Ruf erhalten. Als Hebbel München besuchte, rissen
sich die Könige förmlich um ihn; die Kaiserin Augusta setzte,
als sie Prinzessin von Preußen war, ihren Ruhm darein, die
freigeistige und belletristische Crême der Berliner Gelehrten-
und Schriftstellerwelt zu protegieren, und mit Stolz sonnt die
Eitelkeit der Gelehrten sich in höfischer Gunst. Reizende Ge-
schichtchen erzählen Bismarck und Gerlach gelegentlich über
Alexander von Humboldt und seine Tischgespräche. Diese
Herren glauben auch im Salon immer auf dem Katheder zu
sein, sie brüsten sich mit ihrem Wissen, das sie fortgesetzt
mit Bildung verwechseln, und geben sich gerade damit unauf-
hörlich die ärgsten Blößen. Mignet und Thiers streiten sich
gelegentlich bei einem Diner über Herodot, bis der erstere die
Diskussion mit den Worten schließt: »Ach was, du kannst ja
überhaupt nicht Griechisch«, und ganz ähnliche Erfahrungen,
die er mit Mommsen gemacht hat, vertraut Gregorovius seinem
Tagebuch an. Die Geselligkeit beruht auf literarisch-ästhetischer
Basis, im Kuglerschen Hause in Berlin, auf der Altenburg in

Weimar, im Hause Wesendonck auf dem grünen Hügel in
Zürich sind Geist und Kunst die Elemente, auf welche der Ton
des Verkehrs gestimmt ist, und die Schöngeisterei wird geradewegs zur geselligen Unterhaltung. Falkes in Wien schreiben in
ihrem Zirkel einen Roman, dessen Kapitel unter die einzelnen
Mitglieder verteilt werden, die Kaiserin Eugénie kauft zufällig
in Wiesbaden einen alten Ring, über den dann jeder in ihrem
Kreise eine Novelle schreiben muß.

Die neuen Reichen wollen nicht nur mittun, sie wollten es
den anderen zuvortun. Sie erschlagen mit ihrem Gelde den
vornehmen Stil einer in Jahrhunderten gezüchteten Kultur, der
Knallprotz drängt den Edelmann in die Ecke. Gräfin Mélanie
Pourtalès gibt nur für den Blumenschmuck eines ihrer Pariser
Feste 80 000 Francs aus, der Prinz von Sagan läßt sich die
Kamelien seiner Tafeldekoration bei einem Diner 25 000 Francs
kosten. Auf dem Tisch des Frankfurter Rotschild findet Bismarck das Silberzeug gleich zentnerweise, und von den Diners
des Pariser Börsenfürsten gleichen Namens schreibt Hübner:
Der Tisch war mit Silber, Blumen, Kerzen und Fressalien über-

laden. In Hamburg gab ein reicher Kaufmann ein »echt englisches Mittagessen« und ließ Schüsseln auftragen, die ein eigener Dampfer soeben aus London warm in den Hafen gebracht hatte. Als, wie Moltke sich ausdrückt, dieser Parvenu des Reichtums 1863 in Ferrieres den »Parvenu der Macht« empfing, verausgabte er für die Aufnahme Napoleon III. 400000 Taler und gestaltete seinen berühmten Landsitz nach dem Urteil des Kaisers Friedrich zu einem Raritätenkabinett mit Luxus ohne Sinn.

Die Halbwelt bringt zu dem Wissensdünkel der Bourgeoisie, zu dem Protzentum der Börsianer die Frivolität der Gesinnung, die nur an das Heute denkt, weil ihr das Morgen nicht mehr gehört. Alle Begriffe von Takt und Schicklichkeit werden verschoben, das Wort Anstand verschwindet aus dem Wörterbuch dieser Gesellschaft. Nach dem Bombenattentat Orsinis, das so vielen Unschuldigen das Leben kostete, enthusiasmiert sich die schöne Welt in Paris für den interessanten Verbrecher, bewundert seine Seelengröße, Würde und Schönheit und nur mit Mühe kann die Kaiserin davon zurückgehalten werden, ihn in der Conciergerie zu besuchen. Als das Scheusal Troppmann die ganze Familie Kinck umgebracht hat, da etabliert sich ein ganzer Jahrmarkt auf der Mordstelle in Pantin und Mme. Ratazzi wird von ganz Paris beneidet, ist es ihr doch gelungen, der Öffnung der sechs ersten Leichen beiwohnen zu dürfen; um die Plätze bei der Schwurgerichtsverhandlung entspinnen sich heiße Kämpfe, unter 500 Francs sind gute Billette überhaupt nicht zu haben. Man drängt sich zu Sensationsprozessen wie sonst in die Première eines Theaters. Prosper Menière erzählt aus dem Jahre 1856 eine reizende Geschichte. Als der Präsident des Gerichtshofes vor Beginn einer solchen Verhandlung den Zuhörerraum mit eleganten Damen gefüllt sieht, wendet er sich zu ihnen und sagt: »Ich bitte die anständigen Damen den Saal zu verlassen, da Dinge zur Sprache kommen werden, welche sich für ihre Ohren nicht eignen«. Es rührt sich natürlich keine und so fügt er nach einer kleinen Pause hinzu: «Gerichtsdiener, nachdem die anständigen Damen den Saal verlassen haben, beauftrage ich Sie, die anderen hinauszuweisen«. Die Ungeniertheit der großen Kokotten wird von der Schamlosigkeit der großen Damen weit übertroffen. Mme. Rimskij-Korsakow erscheint auf einem Ball im Marine-Ministerium als Salambo, wo sie alles zeigt, was andere bedecken;

Bismarck und die Lucca (Photographie)   *1865*

Gräfin Castiglione fordert als »Römerin der Verfallzeit« oder
»Herzdame« durch ihr unglaubliches décolleté ebenso unglaub-
liche Komplimente heraus; auf einem Ball beim Grafen Du-
chatel bildet eine ganz nackte junge Person, welche in einem
lebenden Bilde nach Ingres die Nymphe darstellt, die Hauptanziehungskraft des Abends. Marie von Bunsen erzählt, daß
Mme. Prevers 1862 in Turin einen Kinderball gab für den sie
ihre älteste Tochter als Diana auf der Jagd kleidete, »Um ihre
Beine zu zeigen« sagte die Mutter »die wirklich sehr hübsch
sind und die man später doch nicht mehr zeigen darf.« Die laxe
Moral verliert jeden Maßstab, jedes Gefühl für Konvenienz.

Menzel, Richard Wagner in der Probe

Napoléon III. glaubt der Prinzessin Klotilde seinen Vetter Plonplon dadurch annehmbar zu machen, daß er mit Wärme sein ausgezeichnetes Herz rühmt, habe er doch mitten im Fasching Paris verlassen, um seine in Cannes im Sterben liegende Maitresse zu besuchen, und der Minister Graf Walewski sagt ein diplomatisches Diner offiziell aus keinem andern Grunde ab, als weil er dem Begräbnisse der Rachel zu folgen wünsche, die seine Geliebte gewesen sei und ihm einen Sohn geschenkt habe. Die Leichtfertigkeit der Anschauungen zieht aber durchaus keine Leichtigkeit der Manieren nach sich, im Gegenteil, es scheint gerade, als ob die laxe Moral sich hinter hohen Mauern unnahbarer Wohlanständigkeit verstecken müsse, um in ihrer Schwäche nicht erkannt zu werden. Der Ton der bürgerlichen Gesellschaft, zumal der deutschen, wird steif und formell, die bürgerliche Gesellschaft hat keinen Stil, und wo sie dem Adel nichts absehen und dem Militär nichts nachmachen kann, da versagt sie. In diesem Sinne spricht Fontane von dem alten Berlin, das man in seiner ältesten Form doch als eine furchtbare Mischung von Häßlichkeit und Unfeinheit bezeichnen müsse; und wenn derselbe ehrliche Beobachter ein andermal bemerkt, das Berliner Wesen lege den Schwerpunkt auf Rang, Titel und Orden, so kennzeichnet er damit den gleichen Grad von Unkultur, den dreißig Jahre vor ihm Gabriele von Bülow und noch dreißig Jahre früher Achim von Arnim beklagten.

1873
La Mode artistique
Promenadentoilette

Auguste Renoir, Die Unterhaltung

Du Maurier, *The Pet Young Bachelor Parson* Punch 1878

Zwei so verschieden geartete Naturen wie Richard Wagner und der Präsident von Gerlach empfinden den Druck, der auf den Menschen und den Verhältnissen lastet, gleich schmerzlich. »Welch ein Bann liegt auf der Geselligkeit,« schreibt der Aristokrat in sein Tagebuch, »alles, was einem wirklich am Herzen liegt, ist von der Unterhaltung ausgeschlossen und kommt nicht zur Sprache.« Dieselbe Empfindung erfüllt den Künstler, wenn er einmal ausruft: »Ach der gute Ton, nie sich ereifern und um Gottes Willen nie sich hinreißen lassen!« Jeder persönliche Zug, jede Eigenheit des Individuums wird abgeschliffen; will der Einzelne in der Gesellschaft gelitten sein, so hat er sein wahres Ich hinter der Maske der Konvenienz zu verbergen, er muß dieselbe seiner Umgebung ebenso absehen, wie er gut daran tut, ihre politischen und religiösen Ansichten anzunehmen.

Heilbuth, Causerie

Der »Punch« hat 1848 einmal recht witzig diese Regeln der
Konvenienz verspottet, indem er schreibt: ein Gentleman darf
einen andern im Duell erschießen, aber nicht das Messer an
den Mund führen, er darf ein Paar Rebhühner tragen, aber
keine Hammelkeule, wehe ihm, ginge er ohne Handschuhe aus,
äße zweimal Suppe oder trüge ein Paket über die Gasse.

Unter den geselligen Freuden wird wohl der Tanz immer obenan *Tanz*
stehen, und wenn er heutzutage so gut wie ganz der Jugend
überlassen bleibt, so waren dagegen unter der Generation von
damals auch die Älteren durchaus nicht gewillt, auf dies Vergnügen zu verzichten. Baron Hübner schreibt 1856 über Pariser
Bälle: alle unsere Familienmütter tanzten wie die Besessenen,
und Moltke bemerkt am englischen Hofe, daß die Königin
Viktoria, Mutter von sechs Kindern, keinen Tanz ausläßt. In
den dreißiger Jahren war die Polka der Lieblingstanz der Gesellschaft, auf englischen Hofbällen tanzte man 1845 noch acht
Polkas, unter dem zweiten Kaiserreich aber tritt sie gegen
den Galopp zurück. Die Hauptanziehungskraft der Bälle aber
bildete jetzt der Kotillon, er wird so bevorzugt, daß es 1865
in Paris Mode wird, erst um 3 Uhr morgens zum Ball zu
fahren lediglich des Kotillons wegen. Anführer derselben war
in den Tuilerien jahrelang der Marquis de Caux, der erste
Gatte der Patti; in den Tuilerien begann man auch mit der

Mode der kostbaren Kotillongeschenke, die bald überall Nachahmung fand. Eine ganz besondere Überraschung war es in Paris 1866, wenn auf einem Ball die Musik »Marlborough s'en và-t-en guerre« intonierte, das hob nämlich alle Engagements auf. Zu den größten und gesuchtesten Vergnügungen gehörten die Maskenbälle, zu denen ein großes Kostümfest des Grafen Walewski 1856 das Signal gegeben hatte. Die Herren wählten dazu meist den Domino, die Damen Phantasiekostüme, in denen sie Blumen, Sterne, Vögel, Monate, Jahreszeiten und dergl. darstellten; Sensation durch die prachtvolle Ausstattung machte seinerzeit ein Maskenball im Marineministerium in Paris mit dem Einzug der fünf Weltteile. Gegen das Ende des Kaiserreichs gehörten die Feste, welche Arsène Houssaye veranstaltete, zu den glanzvollsten und amüsantesten; seine von der schönen Welt heiß begehrten Einladungen enthielten nur eine Bedingung: »la beauté sous le masque est de rigueur«. Auf einem Maskenball, den Ernst Merck 1856 der guten Gesellschaft in Hamburg gab, sah man Kostüme, die 1000 und 2500 Mark Banko gekostet hatten.

Theater Unter den Schönheiten dieser und anderer Feste standen die Bühnenkünstlerinnen obenan, sie haben überhaupt von der Art und Weise, wie die Mischung der neuen Gesellschaft vor sich

Zampis, Wiener Fiaker

Gabriel Max, Die Schwestern

1876

Berlin, Nationalgalerie

ging, den größten Vorteil gezogen. Von der verachteten Position, welche Schauspieler und zumal Schauspielerinnen noch am Ende des 18. Jahrhunderts eingenommen hatten, haben sie sich in dieser Zeit zu einer Stellung aufgeschwungen, welche sie in der Gesellschaft nicht nur duldet, sondern geradezu bevorzugt. Daß Bühnensterne in die vornehmsten Kreise heiraten, wird etwas Alltägliches; Therese Elssler ehelicht 1850 den Prinzen Adalbert von Preußen, Sophie Löwe den Fürsten Friedrich Liechtenstein, Marie Taglioni den Prinzen Windischgrätz, Karoline Bauer den Grafen Broël-Plater, Friederike Goßmann den Grafen Prokesch-Osten usw. Den Fuß der völligen geselligen Gleichheit, auf dem die Damen von der Bühne mit den Herren der guten Gesellschaft verkehren, dokumentiert auch jene ergötzliche Photographie, die Bismarck und Pauline Lucca 1865 in Gastein vereinigt zeigt. Die Freude am Theater, welches im Vormärz in Deutschland im Vordergrunde aller Interessen stand, hat nicht abgenommen, im Gegenteil, Berlin zählte 1848 nur drei, 1850 schon acht Theater, und der rege Besuch erlaubt den deutschen Bühnenleitern, nach Vorangang des Intendanten von Küstner, seit Mitte der vierziger Jahre Autoren und Komponisten Tantièmen zu zahlen. So erhielt Gutzkow für sein Urbild des Tartüffe 1846 für 17 Vorstellungen 850 Taler, Lachner für Caterina Cornaro für 8 Vorstellungen 760 Taler; Offenbach bezog im Jahre 1867 allein 240000 Francs an Tantièmen. Auf der Bühne selbst siegt das Ausstattungsstück, in dem der Maschinist, der Dekorateur, der Theaterschneider das letzte Wort sprechen, über jedes ernstere Genre. Das Ballett, wohl die sinnloseste aller Kunstformen, verdrängt sogar die Oper und zwar gerade in demselben Augenblick, in dem Richard Wagner sich anschickt, der Welt in seinen Musikdramen das Bühnenkunstwerk in seiner höchsten Vollendung zu geben. Die Zeit, in der er schuf, und die Menschen, an die er sich wandte, waren seiner nicht wert; abgesehen von wenigen leuchtenden Ausnahmen, deren Namen die Nachwelt nicht vergessen wird, hat erst eine spätere Generation den Meister und sein Werk verstanden und ihm jenen Ruhmeskranz aufs Haupt gesetzt, der dem größten Deutschen, den das neunzehnte Jahrhundert neben Bismarck und Nietzsche hervorgebracht hat, gebührt. Damals zog man ihm Meyerbeer, Mendelssohn, Rossini, Verdi vor, und was hätten auch der Tristan, die Meistersinger, der Ring des Nibelungen einem Geschlecht sagen können, das sich im bacchantischen Taumel Offenbachscher Galopps zu Tode raste. Es war nicht nur der fortreißende Elan der Offenbachschen Melodien, der seine Operetten so beliebt machte, es waren ebenso die Libretti seiner Kompositionen, des Orpheus, der Schönen Helena u. a., die in ihrer erbarmungslosen Verspottung aller Traditionen und Ideale einem Geschlecht wohltaten, dem die Persiflage seiner selbst so zum Bedürfnis geworden war, daß 1854 in Nadars Pantheon ein ganzes Museum von Karikaturen zeitgenössischer Zelebritäten entstehen konnte, daß 1869, das Modespielzeug der Erwachsenen das Grimakisticope wurde, Kautschukporträts berühmter und angesehener Personen, die man beliebig zu Fratzen entstellen konnte. Der höchste Trumpf, den diese ganze Denkungsart auszuspielen hatte, war die »Großherzogin von Gerolstein«, die während der Weltausstellung von 1867 den in Paris versammelten Monarchen die Groteske ihres eigenen Wesens im Spiegel der Karikatur vorhöhnte.

Sport Sport wurde, nimmt man die Pferderennen aus, nicht geübt. Das Turnen war jahrzehntelang in Preußen verboten gewesen und galt noch in den sechziger Jahren für so wenig schicklich, daß Bismarck es unmöglich fand, seine Söhne am Turn-Unterricht der Schule teilnehmen zu lassen, dagegen begann der Bergsport. Zwischen 1786 und 1846 war z. B. der Montblanc im ganzen nur von 31 Personen bestiegen worden, unter denen 15 Engländer waren, von da an aber wurde seine Besteigung etwas so Alltägliches, daß nach dem höchsten bald auch die schwierigsten Berge an die Reihe kamen, die Dolomiten, das Matterhorn wurden erklettert und die Gründung des Deutsch-Österreichischen Alpenvereins gewann diesem Sport bald Jahr für Jahr neue Freunde. Das Schlittschuhlaufen, das schon Klopstock und Goethe geübt hatten, kam bei der Gesellschaft erst in der Mitte des 19. Jahrhunderts wieder in Aufnahme; in Berlin führte es in den vierziger Jahren die Fürstin Pückler ein, in Paris 1862 die Kaiserin Eugénie, dort galt der Maler Stevens jahrelang für den gewandtesten Schlittschuhläufer Europas.

An den Fortschritten der Kultur nahm innerhalb der Gesellschaft auch die Tierwelt Anteil, und wenn wir vor einigen Jahren in Berlin den Bluff mit dem klugen Hans erlebten, so gab es schon vor vierzig Jahren etwas Ähnliches, ja die gelehrte Hündin des Grafen de Rouit, die ihr Besitzer seit 1866 in Frankreich produzierte, übertraf im Umfang ihrer Kenntnisse und geistigen Eigenschaften bei weitem das Pferd des Herrn von der Osten. Dieses liebenswürdige Tier konnte nicht nur orthographisch schreiben, fehlerlos rechnen, sondern unterhielt sich in seinen Mußestunden auch noch mit Übersetzungen aus dem Griechischen ins Englische.

VERLAG VON F. BRUCKMANN A.-G., MÜNCHEN

Von demselben Verfasser sind erschienen bezw. in Vorbereitung:

DIE MODE

Menschen und Moden

vom Untergang der alten Welt
bis zum Ausbruch des Weltkrieges

Mit vielen Abbildungen nach Originalen der Zeit in
Ein- und Vierfarbendruck, handkoloriertem Lichtdruck,
Mezzotintogravüre, Rötel, Sepia- und Duplexdruck.

Die Illustration der Bände IV—VII besorgte Oskar Fischel.

Jeder Band bildet ein in sich abgeschlossenes Ganze und ist einzeln käuflich.

Das neunzehnte Jahrhundert in 4 blauen Pappbänden
in Futteral M. 100.—.

Die erschienenen 6 Bände zusammen in blauen Pappbänden in Futteral M. 150.—.

Die reizvoll und verschwenderisch ausgestatteten Bände enthalten weit mehr,
als der Titel ›Mode‹ verspricht, nämlich eine vollständige Kultur-, Kostüm-
und Kunstgeschichte der Vergangenheit, die, wenn sie nicht wissenschaftlich
erschöpfend genannt werden kann, dafür im höchsten Grade
wertvoll, anmutig und lebendig ist.

Der temperamentvolle und amüsante Text und die sorgfältige Illustration
geben ein fesselndes Bild der Zeit, ihrer Menschen,
ihrer Zustände und ihrer Moden.

Die Bände sind in den meisten Buchhandlungen vorrätig.

VERLAG VON F. BRUCKMANN A.-G., MÜNCHEN

KÖRPERKULTUR DER FRAU

Praktisch-hygienische und praktisch-ästhetische Winke

Von Frau Dr. Beß M. Mensendieck

7. Auflage. Ein Band in 8°. Mit 100 Abbildungen

Geb. etwa M. 20.—

Das Buch ist von einer Frau ausschließlich für die Frauen geschrieben und zeigt den Weg, wie die moderne Frau aus eigener Kraft den schädigenden Einflüssen eingebürgerter unhygienischer Gewohnheiten entgegenwirken und ihren Körper zu harmonischer Gesundheit und Schönheit entwickeln kann. Die Methode der Verfasserin wird durch ein umfangreiches und vortreffliches, eigens für das Buch geschaffenes Abbildungsmaterial erläutert.

WEIBLICHE KÖRPERBILDUNG UND BEWEGUNGSKUNST

NACH DEM SYSTEM MENSENDIECK

Herausgegeben von Dr. Fritz Giese und Hedwig Hagemann

Ein Band in 8° mit 80 Tafeln und Abbildungen

Gebunden M. 15.—. In Halbleder gebunden M. 36.—

Dieses neue Buch ist die notwendig gewordene Ergänzung zu dem vor 12 Jahren zuerst erschienenen und zu großer Verbreitung gelangten, obenstehend angezeigten, bahnbrechenden Werke der Frau Dr. Bess M. Mensendieck über die Körperkultur der Frau. In einer Reihe von schön und lehrreich illustrierten, von Fachleuten verfaßten Aufsätzen vertritt und erweitert es den Gedanken zweckmäßiger weiblicher Körperbildung, den es nach verschiedenen Gesichtspunkten ausbaut und, indem es Anwendung und Wirkung auf das private und öffentliche Leben der Frau berührt, in vielfacher Weise mit neuen Kulturfragen verbindet. — Mitarbeiter an dem Buche sind: Dr. F. Giese, Dorothee Günther, Dr. K. Hagemann, Dr. Auguste Hohbaum, Dr. Müller-Freienfels, Dr. Freiherr von Oeynhausen, die Tänzerin Ellen Petz, Professor P. Schultze-Naumburg, Dr. Frank Thieß, Professor F. Winter, Hanna Winter, Dr. J. Zadek

Da die Kosten für Material und Arbeit die Neigung haben, weiter zu steigen, ist eine spätere Preiserhöhung der hier angekündigten Bücher wahrscheinlich.